SLIVER

IRA LEVIN

SLIVER

DENOËL

Titre original
SLIVER
(Bantam Books, New York)

Traduit de l'américain
par Anne Rabinovitch

© by Ira Levin, 1991
© by Editions Denoël, 1991 pour la traduction française
ISBN 2-266-05439-2

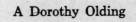

A Dorothy Olding

Ceci est un roman, comme l'indique le titre, et donc pure fiction. L'auteur remercie les personnes suivantes pour leurs conseils et les diverses informations qu'elles lui ont procurées : Paul Busman, Gloria Dougal, Peter L. Felcher, Herbert E. Kaplan, Adam Levin, Jed Levin et Genevieve Young.

UN

1.

C'était un lundi matin qui s'annonçait bien et qui dépassa même ses espérances – les Hoffman s'empoignaient une fois de plus, le Dr. Palme téléphonait à un ex-patient suicidaire, la bonne des Cole se masturbait avec un vibromasseur, Lesley et Phil se retrouvaient dans la laverie automatique. MacEvoy pénétra dans l'entrée avec une femme qui ressemblait à Thea Marshall, même visage ovale, mêmes cheveux noirs. Elle venait sûrement visiter l'appartement 20B, repeint la semaine précédente.

Il les vit monter dans l'ascenseur n° 2. Une femme d'allure splendide, grande, la poitrine ample, vêtue d'un élégant tailleur foncé. Elle jeta un regard vers lui puis, une main posée sur la lanière de son sac, considéra MacEvoy qui vantait la climatisation de l'immeuble et la cuisine Poggenpohl. Trente-cinq ou trente-six ans. Une ressemblance frappante.

Il brancha les masters et la vit franchir l'entrée du 20B et traverser la salle de séjour vide, ses talons résonnant sur le plancher. Elle était aussi belle vue de dos. Elle s'approcha de la fenêtre, face aux immeubles plus bas de Madison. « C'est magnifique ! » s'écria-t-elle. Sa voix rauque et mélodieuse faisait écho à celle de Thea Marshall.

Elle ne portait pas d'alliance mais sans doute était-elle mariée ou vivait-elle avec quelqu'un. Il l'approuverait de toute manière, si elle décidait de prendre l'appartement. Il croisa les doigts.

Elle se détourna de la fenêtre et contempla la pièce avec un sourire. Elle leva le visage, avança de quelques pas – Thea Marshall le fixait droit dans les yeux. Il en eut le souffle coupé.

« Quelle jolie vue », s'exclama-t-elle. Le plafonnier en verre mince était sculpté dans le style Arts déco. Son centre chromé reflétait la petite silhouette framboise.

« N'est-ce pas ? » répondit Mrs. MacEvoy en venant près d'elle. « Tout l'immeuble est équipé de cette façon. Aucune dépense n'a été épargnée. Au départ ce devait être une copropriété. Le loyer est donné, si on y réfléchit. »

Le prix était élevé, mais abordable. Elle revint dans l'entrée, se retourna pour considérer l'ensemble – les murs fraîchement repeints en blanc, six mètres sur sept, une grande baie, un parquet, un passe-plat entre le séjour et la cuisine... Si le reste de l'appartement était à la hauteur, elle devait se décider sur-le-champ, pour la première petite annonce de la journée. Voulait-elle *vraiment* quitter Bank Street ? Affronter un nouveau déménagement ?

Elle poursuivit la visite.

La cuisine était superbe – du stratifié sable, de l'acier inoxydable. Des néons sous les placards, des appareils ménagers en parfait état. Un plan de travail spacieux.

Plus loin, la salle de bains était tape-à-l'œil mais amusante. Des murs de verre noirs, des accessoires noirs, une robinetterie chromée; une grande baignoire, une douche séparée. Des néons sous l'armoire de toilette placée au-dessus du lavabo; un autre plafonnier, plus petit que celui du séjour.

Au bout de l'entrée, la chambre était presque aussi grande que la première pièce et repeinte en blanc, le mur de gauche entièrement équipé de placards aux portes accordéon. Une autre fenêtre à l'arrière, une vue magnifique — une partie du parc aux arbres jaunissants, le réservoir et le toit d'une maison gothique sur la Cinquième Avenue. A droite, un espace largement suffisant pour poser le bureau contre le mur, avec le lit face au ciel. Elle soupira en voyant sa silhouette inversée sur le chrome du plafonnier, puis se tourna vers Mrs. MacEvoy qui attendait à côté de la porte. « C'est le premier appartement que je visite, dit-elle.

— Un joyau », répondit la dame avec un sourire. « A votre place je ne le laisserais pas échapper. »

Elles revinrent dans l'entrée. Mrs. MacEvoy ouvrit le placard à linge.

La jeune femme jeta un dernier regard autour d'elle, songeant à son bel appartement de Bank Street avec ses hauts plafonds, ses feux de bois dans la cheminée. Sa boîte de rock au coin de la rue, ses cafards, ses deux années avec Jeff et six avec Alex.

« Je le prends », dit-elle.

Mrs. MacEvoy sourit. « Retournons dans mon bureau, proposa-t-elle. Vous remplirez les papiers et je constituerai le dossier. »

Il s'énerva en attendant l'appel d'Edgar, qui vint seulement mercredi en fin d'après-midi. « Bonjour

Edgar », dit-il, coupant les deux caméras. « Comment vas-tu ?

— Moyennement. Et toi ?

— A merveille.

— La déclaration des loyers de septembre va arriver ; étant donné les fluctuations du marché, je pense que tu seras satisfait. A propos de l'immeuble : j'ai demandé à Mills de parler encore de l'entrée à Dmitri.

— Dis-lui d'essayer le russe, suggéra-t-il. Ce bloc de marbre est toujours là. Je veux dire les deux pièces.

— Je suis sûr que la nouvelle est commandée. Je vais vérifier et je te rappelle. Mrs. MacEvoy a une locataire pour le 20B. Je t'ai raconté qu'il était libre ?

— Oui.

— Kay Norris. Trente-neuf ans, divorcée. Directrice littéraire chez Diadem, elle devrait être calme et agréable. Passé financier et références impeccables. Mrs. MacEvoy la trouve belle. Elle possède un chat.

— Son prénom est Kay ?

— Oui.

— Kay Norris.

— Oui. »

« La locataire idéale », commenta-t-il en écrivant son nom sur sa tablette. « Dis à Mills de veiller à ce que tout le monde prenne soin d'elle.

— Entendu. Il n'y a rien d'autre pour le moment...

— Alors je ne te retiens pas... » Il raccrocha.

Il souligna ces mots : KAY NORRIS.

Plus âgée qu'il ne l'aurait cru, trente-neuf ans.

Thea Marshall était morte à quarante ans ; il inspira puis poussa un long soupir.

Il brancha les masters comme lundi dernier, le séjour sur l'écran n° 1, la chambre sur l'écran n° 2. Le soleil inondait la pièce. Il diminua la lumière.

Les mains sur la console, il contempla les deux pièces vides sur les écrans principaux. Les moniteurs au reflet bleuté s'étalaient sur des rangées multiples, des images vacillaient çà et là.

Elle appela Alex jeudi soir et lui demanda de venir chercher ses livres.

« Oh, Kay, je sais que je dis toujours la même chose mais c'est le pire moment, le début du semestre. Il faut que tu les gardes encore quelques mois.

— Désolée, c'est impossible, répondit-elle. Je déménage dans une semaine. Si tu ne viens pas les chercher je les mets dans la rue. Je n'éprouve plus aucun intérêt pour l'architecture médiévale. Dieu sait pourquoi. »

Il n'avait pas entendu parler de sa rupture avec Jeff. Il semblait sincèrement affligé. « Tu as raison de quitter cet appartement, c'est une idée formidable. Recommencer à zéro. Qu'est-ce que tu as trouvé ? »

Elle lui décrivit l'endroit. « Je suis à l'avant-dernier étage, expliqua-t-elle. Je vois l'East River par la fenêtre du séjour et, de ma chambre, un morceau de Central Park. Des flots de lumière. Le quartier est charmant, plein de vieux immeubles bien entretenus, pas très hauts, le musée Cooper-Hewitt se trouve au coin de la rue.

— Treize... cent... Madison... » – le ton badin qu'il utilisait avant de la démoraliser. « Un *sliver* ? Haut et étroit ? »

Elle inspira profondément. « Oui...

— Kay, c'est là qu'un homme a été décapité par l'ascenseur l'hiver dernier. Tu te souviens ? Le gardien ? Il y a eu trois ou quatre morts et il n'existe que depuis quelques années. Je me souviens d'avoir pensé : quel dommage que l'adresse soit 1300 Madison, cela renforce les superstitions. C'était ainsi qu'on le présentait à la télévision, 1300 est un numéro de malchance dans l'avenue Madison, ou quelque chose de ce genre. Bien sûr tu...

– Alex, s'écria-t-elle, je sais tout cela. Tu imagines que *je suis* superstitieuse ? Tu t'attendais à ce que j'en parle ? Mais pourquoi ?

– J'allais dire, bien sûr que *tu ne l'es pas*, mais je pensais que cela t'intéresserait de l'apprendre, au cas où tu l'aurais ignoré.

– Les livres, Alex », l'interrompit-elle.

Il accepta de venir les emballer le dimanche après-midi et de les faire prendre pendant la semaine. Ils se saluèrent, puis elle raccrocha.

Toujours le même. Complètement négatif.

L'histoire du gardien était horrible mais l'appartement formidable. Elle ne laisserait ni Alex ni un chroniqueur de chiens écrasés lui saper le moral. Trois ou quatre morts en trois ans n'avait rien d'extraordinaire ; il y avait deux appartements par étage ; quarante en tout, avec sans doute des couples – cela faisait soixante à soixante-dix personnes. Sans compter les changements de locataires et de gardiens.

Felice se frotta contre sa cheville. Elle la prit et la posa contre son épaule, respirant la fourrure tigrée et ronronnante. « Oh ! Felice, s'écria-t-elle, tu vas avoir une de ces surprises ! Un monde nouveau ! Pauvre chérie, plus de cafards pour t'amuser... Enfin je l'espère. On ne sait jamais. »

2.

Un homme en chandail bleu clair se hâta devant elle, ouvrit l'épaisse porte de verre et la maintint pour la laisser passer. Elle portait deux cartons d'objets fragiles, le portier aidait une personne chargée de valises à entrer dans le taxi qu'elle venait de quitter, aussi lui fut-elle reconnaissante. Elle le remercia avec un sourire. Il était jeune, séduisant, avec des yeux bleus.

Un ouvrier à genoux taillait le sol en marbre près de l'entrée du local à boîtes aux lettres. Au-dessus des portes de l'ascenseur le B et le 15 étaient allumés en rouge.

Le jeune homme avait traversé l'entrée et se tenait à présent à quelques mètres à sa droite. Elle lui lança un regard en biais tandis qu'il étudiait les indicateurs lumineux, un sac de provisions *I- Love -New-York* à la main. Des Reeboks, un jean, le chandail couleur de ciel. Il était soigné, élégant, aussi grand qu'elle, avec des cheveux roux foncé. Vingt-cinq ou vingt-six ans. « Je peux vous prendre un carton, proposa-t-il.

— Ils sont légers, dit-elle. Mais je vous remercie. »

Il lui fit un sourire éblouissant qui révélait des fossettes, le bleu de ses yeux parut plus intense.

Elle fixait les chiffres éclairés – B et 15.

« Quelqu'un les bloque », expliqua-t-il. Il se dirigea vers les écrans de contrôle placés dans un coin de l'entrée, encadrés de marbre coquille d'œuf et de plantes vertes. Le portier entra – Terry, à l'étroit dans son uniforme gris, le visage rougeaud. Elle lui avait donné un pourboire de 10 dollars la dernière fois qu'elle était venue. Il la regarda tristement : « Je suis désolé de n'avoir pas tenu la porte.

— Cela ne fait rien, répondit-elle.

— Le type du quinzième bloque encore l'ascenseur », dit le jeune homme.

Terry secoua la tête en s'approchant des écrans. « Ces Hoffman... » Il se pencha pour regarder et appuya sur un bouton. Il insista puis se tourna vers elle. « Dmitri est en train de charger l'autre voiture, dit-il.

— Ils ne vont pas arriver avant un moment, remarqua-t-elle. Ils devaient manger en route. »

Il se dirigea vers la porte. « Dès que je les vois j'appelle votre appartement.

— N'oubliez pas ! Mother Truckers ! »

Une voiture de police remonta l'avenue toutes sirènes hurlantes, tandis que Terry ouvrait à un jogger en survêtement à capuchon. « L'ascenseur est là, annonça l'homme aux yeux bleus. Vous emménagez ?

— Oui. Dans le 20B.

— J'habite le 13A, dit-il. Je me présente : Pete Henderson.

— Enchantée », répondit-elle en lui souriant pardessus ses cartons. « Kay Norris. » Le coureur la regardait en sautant sur place quelques mètres plus loin ; quand elle posa les yeux sur lui il se détourna pour observer l'ouvrier qui taillait le marbre. Les joues décharnées, une moustache roux pâle, la quarantaine.

« Où habitiez-vous *avant* ? demanda Pete Henderson.

– Bank Street. Dans le Village. »

La porte de l'ascenseur s'ouvrit et un schnauzer s'élança en avant, tenu par une femme vêtue d'un ensemble en jean, avec des lunettes miroirs et un fichu blanc. L'homme qui la suivait portait une casquette de base-ball, un blouson d'aviateur, un pantalon beige. Il la rattrapa et lui prit la main avant de franchir la porte.

Elle pénétra dans l'ascenseur tapissé de cuir et se retourna. Pete Henderson effleura les boutons du vingtième et du treizième étage en la regardant. Il salua le jogger qui lui répondit d'un signe de tête et appuya sur le 9. Des taches sombres striaient le dos de son survêtement.

Elle surveilla les numéros qui changeaient au-dessus de la porte, et fronça les sourcils en voyant la caméra vidéo perchée dans un angle. Un objet utile, rassurant même – mais troublant car il évoquait la présence de voyeurs invisibles.

La porte s'ouvrit. Le hall du neuvième étage était identique à celui du vingtième – une table Parsons couleur sable et une glace au cadre doré contre le mur quadrillé de noir et de blanc, une moquette marron. L'homme au capuchon se dirigea vers l'appartement A sur la droite.

« Je connais très bien le quartier, dit Pete Henderson, si vous avez besoin de renseignements sur les magasins ou autre chose...

– Comment est le supermarché d'en face ? demanda-t-elle.

– Très bien. J'en sors. Dans Lexington, Sloan's est moins cher. » La porte s'ouvrit.

« Merci », répondit-elle quand il quitta l'ascenseur – les carreaux blancs et noirs du hall, la moquette marron.

Il se retourna, posa la main contre la porte et lui lança un sourire éblouissant. « Bienvenue parmi nous, dit-il. J'espère que la vie vous plaira dans cet immeuble.

– Merci », répéta-t-elle en le regardant par-dessus les cartons. « Ils commencent à peser, ajouta-t-elle.

– Oh! excusez-moi! Salut! » dit-il en lâchant la porte de l'ascenseur.

« Salut! » s'écria-t-elle. La porte se referma.

Elle sourit.

Pete Henderson, un jeune homme plein de charme. Vingt-sept ans au plus.

Une fois les déménageurs partis et les détritus jetés dans le vide-ordures du palier, elle fit la vaisselle, se versa un soda de régime, et considéra l'appartement d'un œil objectif. A la lumière voilée de la fin d'après-midi le mélange de meubles victoriens et contemporains paraissait beaucoup moins laid que prévu. Dès qu'elle aurait remplacé les plus affreux par de l'Arts déco, plus adapté au style des plafonniers, vidé les cartons, rangé les livres, suspendu les tableaux et les rideaux, l'appartement serait beaucoup plus agréable que le précédent, avec sa vue, sa cuisine, sa salle de bains de l'ère post-glaciaire et son *calme merveilleux*. Plus de souvenirs! Elle regretterait seulement la cheminée. Felice aussi, qui accourait toujours au son du rideau métallique...

Kay téléphona à Roxie pour lui proposer de reprendre sa chatte le soir même, mais son amie travaillait; elle viendrait le lendemain après-midi comme convenu et l'aiderait à déballer ses caisses. Fletcher était absent, elles pourraient dîner ensemble.

Elle fit le point avec Sara qui lui transmit les messages. Rien d'urgent, cela pouvait attendre lundi. La météo annonçait un week-end d'été indien, la journée avait été calme, même pour un vendredi. Elle dit à Sara de rentrer chez elle.

Elle décida de faire des provisions avant de se mettre au travail; elle brancha le répondeur sur la prise près du bureau, et vérifia son fonctionnement. Elle enfila un chandail jaune sur son chemisier, ébouriffa ses cheveux, se maquilla rapidement devant la glace de la salle de bains, et fourra son portefeuille et ses clés dans la poche de son jean.

Au dix-septième étage entra dans l'ascenseur un grand homme au crâne dégarni, vêtu d'un complet. Ils se saluèrent d'un signe de tête et il appuya sur le bouton du rez-de-chaussée. Au huitième les rejoignit une femme en vert foncé à la mâchoire carrée – solide, très brune, avec une frange et des cheveux raides. Elle considéra Kay à travers une épaisse couche de mascara et de fard bleu argent, puis lui tourna le dos. Son sac à main et ses escarpins étaient en peau de serpent; le tailleur aussi semblait très coûteux. Un nuage de parfum envahit l'ascenseur – une overdose de Giorgio.

Dans l'entrée elle vit Dmitri debout, les poings sur les hanches, la tête baissée. Elle s'approcha dans le sillage de la femme en vert qui se dirigeait vers les boîtes aux lettres.

Dmitri leva les yeux vers Kay, qui le remercia de son aide précieuse pendant l'emménagement. L'autre jour elle lui avait donné double pourboire.

« Y a pas de quoi », dit-il, un sourire illuminant ses joues rondes. « J'espère que tout va comme vous le souhaitez, miss Norris.

– Tout à fait, répondit-elle en regardant la nouvelle plaque de marbre. C'est très beau.

– Non, soupira-t-il en secouant la tête. Ça ne va pas plaire au gérant. Vous voyez? La teinte est trop claire sur les bords. Il ne sera pas content.

– On ne s'en aperçoit pas! s'écria-t-elle.

– Vous croyez? » Il la fixait de ses yeux noirs.

« Je vote pour. Merci encore.

– Pas de quoi, miss Norris. A votre service. N'hésitez pas à m'appeler s'il y a un problème. »

Elle ouvrit la porte toute grande. L'homme qu'elle avait rencontré dans l'ascenseur attendait sous l'auvent tandis que le portier sifflait en gesticulant pour arrêter un taxi dans l'avenue. Elle laissa passer un monsieur à cheveux gris qui portait un sweat-shirt avec le portrait de Beethoven; il lui lança un regard appuyé. Elle s'éloigna en souriant, et attendit que le feu passe au vert au coin de Madison et de la 92ᵉ Rue.

Elle traversa l'avenue et remonta tranquillement le trottoir, dépassant l'entrée d'un hôtel, le *Wales*, et un restaurant, *Island*, dont la vitrine était ouverte à cause de la douceur du temps. Elle pénétra dans Patrick Murphy's Market.

Dans les allées regorgeant de marchandises, elle repéra les boîtes et la litière pour chats, le yaourt, les jus de fruits et les produits de nettoyage. Les prix étaient plus élevés que dans le Village mais elle s'y attendait. La quarantaine serait une époque faste où elle avait décidé de ne plus rien se refuser. Elle recula jusqu'au rayon des glaces et en choisit une au chocolat.

Quand elle poussa son chariot dans la queue la plus courte, l'homme au sweat-shirt musical la rejoignit avec un panier. Il avait une soixantaine d'années, une tête hirsute. Beethoven avait une figure grisâtre, des lignes d'usure apparaissaient sur le coton violet. Elle vit un paquet d'Ivory et des boîtes de sardines. « Bonjour », dit-il. Il ne semblait pas pressé. Peut-être avait-il fait d'autres courses avant.

« Bonjour, répondit-elle. Voulez-vous passer devant moi?

– Merci. » Elle s'écarta pour lui céder la place. Il

était un peu plus petit qu'elle, une lueur brillait dans ses yeux cernés. « Vous avez emménagé aujourd'hui, n'est-ce pas ? » Sa voix avait un accent rauque.

Elle acquiesça.

« Je suis Sam Yale, dit-il. Bienvenue au 1300. Une année vraiment pourrie. »

Elle sourit : « Kay Norris », répondit-elle, se demandant où elle avait entendu ce nom. Lu peut-être ?

« Vous avez apporté un tableau l'autre jour », reprit-il, reculant jusqu'à l'extrémité du comptoir. « Serait-ce un Hopper ?

— Sûrement pas », s'écria-t-elle, le suivant avec son chariot. « L'artiste s'appelle Zwick, c'est un admirateur de Hopper.

— Il me plaît. Pour ce que j'en ai vu du troisième étage. Je suis au 3B.

— Vous êtes peintre vous-même ? demanda-t-elle.

— Sûrement pas », dit-il en se retournant. Il posa son panier devant la caissière.

Elle déchargea ses provisions tandis que Sam Yale – d'où connaissait-elle son nom ? – payait son savon et ses sardines.

Il l'attendait à la sortie, son sac I-Heart-New-York dans les bras, tandis que l'employée contrôlait chaque article, rendait la monnaie et emballait les marchandises.

Dehors, les réverbères brillaient sous un ciel violet. Il y avait un embouteillage, les voitures klaxonnaient, les passants se bousculaient sur le trottoir. « J'imagine qu'une femme qui utilise Mother Truckers tient à porter ses propres paquets, n'est-ce pas ?

— Pour le moment, dit-elle avec un sourire.

— Je n'y vois pas d'inconvénient... »

En marchant vers l'angle de la rue elle leva les yeux vers le gratte-ciel sable. 1300 Madison. Elle repéra sa fenêtre tout en haut, à l'avant-dernier étage à droite. « Une horreur, hein ? dit Sam Yale d'un ton rauque.

– Les voisins ont dû être épouvantés...

– Ils ont lutté des années pour empêcher sa construction. »

Elle regarda son profil. Le nez abîmé depuis longtemps, la joue piquante, balafrée. Ils attendaient devant le feu. « J'ai vu votre nom quelque part, dit-elle. Ou bien je l'ai entendu.

– Pas possible ! » s'écria-t-il, guettant le signal lumineux. « Il y a longtemps, peut-être. J'étais réalisateur de télévision. C'était l'âge d'or. La télé en noir et blanc, en direct de New York. » Il lui jeta un coup d'œil. « Vous étiez encore dans votre parc.

– Je n'avais pas le droit de regarder. Pas avant l'âge de seize ans. Mes parents sont tous les deux professeurs d'anglais.

– Vous n'avez pas raté grand-chose. *Kukla, Fran et Ollie* ; le reste est surfait. Je ne veux pas dire que les conneries d'aujourd'hui vaillent mieux. »

Le feu changea. Ils commencèrent à traverser l'avenue.

« Maintenant je me souviens, s'écria-t-elle avec un sourire. Vous avez dirigé une pièce où jouait Thea Marshall. »

Il s'immobilisa au milieu de la chaussée et la dévisagea de ses yeux cernés.

« J'ai vu un kinescope au musée de la Radio-Télévision. L'année dernière. On m'a affirmé plusieurs fois que je lui ressemblais. » Autour d'eux les gens couraient. « On va se faire écraser », dit-elle.

Ils parvinrent sur le trottoir d'en face.

« La ressemblance est frappante, reconnut-il. Même dans la voix.

– Je ne m'en rends absolument pas compte. Oh, peut-être un peu... » Elle se retourna brusquement vers lui. « C'est pour cela que vous m'avez suivie. »

Il acquiesça. Ses cheveux volaient dans le vent. « Ne

vous inquiétez pas, je n'ai pas l'intention de vous harceler. Je voulais juste vous regarder de plus près. Elle n'a pas été l'amour de ma vie. Rien de ce genre. J'ai simplement travaillé plusieurs fois avec elle. »

Ils approchèrent de l'auvent.

« De quoi est-elle morte ? demanda Kay.

— La nuque brisée. Elle est tombée dans les escaliers. »

Kay soupira en secouant la tête.

Le portier se hâta de lui prendre ses paquets. C'était un homme grand et mince d'âge moyen, avec des lunettes. « Salut Walt », dit Sam Yale.

Kay se présenta.

« J'ai une course à faire chez Feldman, poursuivit Sam. Quelle pièce avez-vous vue ?

— Cela se passait dans une maison au bord de la plage. Paul Newman y jouait, il avait environ vingt-deux ans.

— *The Chambered Nautilus* [1].

— Oui. »

Il hocha la tête. « *The Steel Hour*, Tad Mosel. Elle n'était pas mauvaise.

— Elle jouait admirablement. Tous les autres aussi. Un spectacle émouvant, très bien monté.

— Merci. » Il lui sourit. « A bientôt, dit-il avant de s'éloigner.

— Au revoir », répondit-elle. Il se dirigeait d'un pas vif vers la droguerie du bas de la rue – un jean, des tennis noirs, le sweat-shirt usé. Walt se tenait adossé à la porte ouverte, ses deux sacs de provisions sous le bras.

« Excusez-moi », dit-elle. Elle pénétra dans l'entrée et s'approcha de l'ascenseur de gauche, cherchant un billet dans son portefeuille.

Il posa les sacs à l'intérieur.

« Merci », dit-elle en tendant la main.

1. Poème d'Oliver Wendell Holmes (1809-1894) (*N.d.T.*).

Il se tenait très droit. Ses lunettes à monture métallique reflétaient la lumière. « Merci, miss Norris », dit-il d'une voix de baryton, surprenante chez un homme aussi frêle. « C'est un plaisir de vous avoir dans l'immeuble. » Il fit un pas en arrière.

« Merci à vous, Walt, j'aime beaucoup cet endroit », répondit-elle, effleurant le bouton du vingtième étage.

La porte se referma.

Elle surveilla les numéros qui changeaient.

Sam Yale... Intéressant. Amusant.

Au moins soixante-cinq ans.

Elle téléphona à ses parents, à Bob et à Cass, pour leur dire qu'elle était installée et enchantée de son nouvel appartement. Elle mangea un yaourt à la fraise en contemplant les gratte-ciel qui scintillaient près de l'eau. Tout en bas, les voitures ressemblaient à des boîtes d'allumettes. Elle avait ouvert la fenêtre des deux côtés. Le bruit de la circulation était un agréable bourdonnement en comparaison du vacarme de son logement de Bank Street, au premier étage.

Elle fit la vaisselle, mit la première cassette de John Gielgud en train de lire *Dombey et Fils*, et – avec un sentiment inexplicable de malaise – commença à vider les cartons de la chambre.

Même le spectacle de Kay Norris finit par l'ennuyer – Kay Norris avec ses yeux mordorés, une couleur beaucoup plus jolie que le vert, son teint transparent et ses cheveux sable, *sa poitrine épanouie et ses fesses moulées dans son jean.* La jeune femme suspendait des robes et rangeait son linge dans les tiroirs. La voix de John Gielgud n'était d'aucun secours.

Il la garda sur l'écran n° 2, mit le son sur l'écran n° 1 et étudia les moniteurs, faisant pivoter son fauteuil; pour célébrer l'événement il buvait un gin-tonic.

La moitié des gens étaient sortis pour la soirée ou le week-end – maudit été indien. Ceux qui restaient se tenaient dans leur cuisine, regardaient la télé ou lisaient.

Les Gruen se disputaient à propos des signaux qu'ils utilisaient pour tricher au bridge. Daisy était contre, Glenn insistait. Frank et sa fiancée venaient jouer ce soir.

Ruby prenait des photos de Ginger au Polaroïd.

Mark arrivait avec un bouquet de fleurs – un geste appréciable, mais tardif.

Le représentant de Yoshiwara mettait le couvert pour deux. Kay rangeait ses chaussures sur le sol du placard. Les deux personnages accroupis selon leur culture. Joli spectacle.

Il écouta Stefan et un pompier de Cincinnati qui avait répondu à l'annonce. Liz racontait à sa mère les potins de Price Waterhouse.

Merveille! Le Dr. Palme pénétra dans l'entrée, salua John et prit un ascenseur. Un vendredi soir? Un week-end d'été indien? Quelqu'un devait être au bord du suicide. Nina? Hugh? Michelle? Ou s'agissait-il d'une supercherie du bon docteur?

Kay s'occupait toujours de souliers. Il brancha le bureau du Dr. Palme sur l'écran n°1, monta le son. Il se leva en s'étirant avec un grognement. Il rapporta le verre vide à la cuisine, alla aux toilettes.

Il pensait à elle, revoyant ses couleurs...

Il referma sa braguette, tira la chasse.

Dans la cuisine, il se prépara un second gin-tonic, plus léger cette fois, écoutant les craquements du fauteuil de cuir du Dr. Palme, les crissements de la bande neuve dans le magnétophone. Remuant le contenu de son verre avec un manche de fourchette, il jeta un coup d'œil par le passe-plat. Debout près de la table de nuit, elle pressait le téléphone blanc contre son oreille. Il jeta la fourchette sur la vaisselle de l'évier et se précipita pour augmenter le son et brancher l'écoute téléphonique. Puis il s'assit confortablement dans son fauteuil. « ... NOM DE DIEU ? JE NE TE DEMANDE PAS LA LUNE », hurlait une voix d'homme – il baissa le son – « tu peux bien m'accorder quelques minutes en tête à tête ? Ça te fait tant chier que ça ? »

Le réveil indiquait 9 h 53 quand elle raccrocha. Elle roula sur le dos, inspira profondément en clignant des yeux. Le bras posé sur le front, elle fixait son image en miniature dans le plafonnier.

Parfait, mon petit.

Une histoire terminée. Pour de bon. Enfin.

Elle resta allongée encore un moment, puis ramassa les Kleenex humides sur la table de nuit. Elle se dirigea vers la salle de bains en se mouchant bruyamment, puis jeta le tout dans la cuvette noire et tira la chasse. Elle se pencha sur le lavabo pour s'asperger le visage d'eau froide.

Elle se regarda dans la glace en s'essuyant.

Une bonne chose de faite.

Assez travaillé pour la journée.

Elle appela Roxie qui avait mis le répondeur. « Pas de problème, dit-elle. Je te raconterai demain. Je me couche. »

Elle remplaça Dickens et Gielgud par la guitare de Segovia. Elle fit le lit avec des draps neufs qui sentaient bon, une paire à fleurs jaunes.

Dans la cuisine, elle mangea une bouchée de glace au chocolat. Attrapa l'éponge et la poudre à récurer, sous l'évier, et retourna dans la salle de bains.

Elle frotta l'immense baignoire noire sans ménager ses efforts, laissant de larges traînées de mousse. Elle ouvrit à fond le robinet chromé et rinça abondamment.

Elle testa la chaleur de l'eau sur son poignet, puis versa une dose de Vitabath vert jade. Une masse d'écume emplit la baignoire. Le reflet pâle du plafonnier accentuait l'impression magique du lieu.

Elle se déshabilla dans la chambre sans baisser le store, toutes lumières éteintes. Dans le lointain, on voyait les maisons de Central Park West. Dans le parc brillaient quelques lumières, sauf à l'emplacement du réservoir.

Elle ouvrit la partie gauche de la fenêtre. Elle tira des deux mains le châssis bronze, et réussit à le faire coulisser sur trente centimètres. La brise caressait sa peau nue ; pour une fois la météo ne s'était pas trompée dans ses prévisions.

En face d'elle, quatorze étages plus bas – avait-elle calculé – se dressait le toit gothique à clochetons du musée juif, éclairé par les fenêtres d'un appartement voisin.

Elle sourit au minuscule manoir.

La hauteur ne la dérangeait pas. Aux éditions Diadem, son bureau se trouvait au quarante-septième étage, avec une paroi de verre.

Une fois de plus il s'en voulut de ne pas avoir changé les salles de bains en blanc. Mieux, en gris. Il y avait pensé en achetant l'immeuble mais les accessoires noirs étaient déjà commandés et le colonel lui avait juré que le Takai Z/3, un matériau nouveau sur le marché, permettait de lire le journal à la lueur d'une allumette. Comment expliquer à Edgar et aux autres, qui le prenaient déjà pour un cinglé, pourquoi il renonçait à une garantie de 20 000 dollars pour changer la couleur des baignoires. Il avait donc conservé le noir, l'idée de Barry Beck.

Avec la lumière tamisée et cette maudite mousse, il avait l'impression de regarder *Dynasty.*

Ou presque...

La luminosité était au maximum ; plus de contrastes – un gris uniforme, pire qu'un kinescope. Pourtant elle était belle, la tête posée sur le rebord en marbre, les yeux fermés ; ses orteils jouaient avec l'eau. Le léger mouvement de l'écume indiquait qu'elle se caressait – rien de violent, une simple détente après la journée de déménagement et l'affreuse scène de Jeff.

A deux reprises elle avait levé les yeux vers lui – ou plutôt vers sa propre image sur le plafonnier. La première fois elle sourit avec un petit signe de la main. Il faillit en tomber de son siège. « Salut, Kay », répondit-il – il en était à son troisième gin-tonic. La seconde fois elle balança lentement la tête en le contemplant.

Il la surveillait sur les deux masters et enregistrait le Dr. Palme et Hugh, une scène trop douloureuse et absorbante pour une vision simultanée. Rocky se trouvait à Chicago pour le mariage de son neveu, aussi il put se concentrer entièrement sur elle.

Non, c'était faux. Un peu plus tard il devrait jeter un coup d'œil à l'appartement de Rocky. Une occasion en or ; il découvrirait peut-être son carnet de rendez-vous et saurait s'il était paranoïaque ou non.

Kay glissa la main sur sa gorge. Les clapotis de l'eau avaient un écho cristallin. Il entendait dans le fond le bourdonnement du ventilateur et le son de la guitare. Segovia ?

Elle fronça les sourcils. Sans doute pensait-elle encore à ce salaud de Jeff. Comment avait-elle pu vivre *deux ans* avec lui ? Cela confondait l'imagination, pourtant Babette, Lauren et les autres femmes qu'il avait connues supportaient les mêmes conneries. Mon Dieu, Kay...

Il se renversa en arrière, pivota, ramenant un cochon en cuir sous ses pieds nus. Il but une gorgée d'alcool sans la quitter des yeux. Le verre humide était posé entre ses cuisses, sur les poils.

Il s'était déshabillé en même temps qu'elle.

Il suçait un glaçon, fasciné par les deux images d'elle, identiques sur les écrans.

Merveilleux...

... les notes rapides sur la guitare, l'odeur du pin, l'écume frémissante... l'eau brûlante, son corps lisse...

Quelque chose la préoccupait.

La sensation d'un signal manqué. D'étranges vibrations – *avant* le coup de téléphone de Jeff – qu'elle n'avait pas pris le temps d'analyser...

Sam Yale? Quand il s'était arrêté au milieu de l'avenue pour la regarder avec ses yeux d'insomniaque? Avait-il menti à propos de sa relation strictement professionnelle avec Thea Marshall? Dans un roman gothique ou un thriller il eût été...

Pourquoi donc habitait-il ici, au 1300 Madison? Les vieux metteurs en scène en jean et sweat-shirt vivaient dans des appartements au loyer peu élevé du West Side, du Village ou de SoHo, parmi les acteurs, les artistes et les écrivains. Que faisait-il dans un nouveau gratte-ciel du Yupper East Side? Quand avait-il cessé de diriger? Pourquoi?

Que faisait Pete Henderson dans la vie, à part acheter des provisions le vendredi matin?

Il travaillait la nuit, ou bien à la maison, il était en vacances, il avait gagné à la loterie. Peu importe, quel garçon adorable... le sourire éblouissant, les yeux bleu vif, les cheveux auburn. Chez lui, rien de bizarre : il était charmé par elle, comme les jeunes assistants avec qui elle travaillait. S'il avait eu dix ou quinze ans de moins...

Le jogger en survêtement à capuchon qui sautait sur place... était-ce lui qui l'inquiétait ? Un homme charmant avec ses joues creuses et sa moustache sable. Malboro Country. Marié ou homosexuel, on pouvait le parier.

Walt, quand elle lui avait glissé son pourboire ? Ses yeux aveuglés par la lumière...

La femme blonde ? Inutile de s'en soucier.

Elle remua sous la mousse.

Peut-être n'aimait-elle pas cette sensation de solitude... La première nuit dans un nouvel appartement, sans Felice, sans personne pour lui tenir compagnie. Des inconnus au-dessus, au-dessous, sur le même palier. (V. *Travisano*, indiquait l'inscription sous la sonnette du 20 A Victor ? Victoria ?)

Elle se rassit et pencha la tête en arrière, allongeant les bras sur les rebords de la baignoire. Elle fixa le plafonnier, la tache pâle au milieu de son iris sombre, la minuscule silhouette...

Elle chassa l'écume de ses seins... glissa les doigts sur les tétons durcis.

Elle souleva une jambe hors de l'eau, cambrant la cheville... Elle ne quittait pas des yeux son image en miniature.

Son orteil effleura le mélangeur chromé Arts déco...

Elle s'enfonçait dans l'eau, les îles d'écume se brisaient...

Peut-être avait-elle simplement besoin... d'un instant de détente...

Ils jouirent en même temps.

C'était formidable.

En quelque sorte...

Les jambes écartées, un pied sur le cochon, l'autre sur le sol, il reprit son souffle, sans lâcher son sexe enveloppé de mouchoirs.

Il resta un moment sans bouger. Elle était immobile dans l'eau. Les deux Kay tournées vers le mur, les yeux fermés. Le profil de Thea Marshall...

Il ne devait jamais se trouver sur son chemin.

Il savait. Il n'en avait pas l'intention...

Si cela arrivait, tant pis, mais il fallait l'ÉVITER.

Il *savait.*

Il se souvenait de Naomi.

Il en était encore malade.

Il se leva. Kay avait repris son activité et se savonnait les aisselles.

Il jeta les Kleenex dans la cuvette noire des cabinets et tira la chasse avec un soupir.

Ce serait difficile de se contenter de la regarder...

Maintenant qu'il l'avait vue en chair et en os...

3.

Lambrissé de bois sombre, garni de rangées de chaînes qui ondulent depuis le plafond, le grill room des *Four Seasons*, haut comme trois étages, est le lieu où déjeunent éditeurs et directeurs littéraires – s'ils n'ont pas déménagé dans le centre – avec leurs bien-aimés auteurs. A midi, sur cette vaste scène (suspendue sur la droite à une nuée de tiges de cuivre), des hommes en costume et des femmes en tenue bariolée se regroupent aux bonnes et aux moins bonnes tables, selon les niveaux, comme les oiseaux perchés sur la cage aux écureuils de Hitchcock. Ils caquètent à qui mieux mieux – qui est avec qui, qui change de maison, qui achète tel livre. Des serveurs sautillants leur apportent des plats disposés avec art, d'énormes portions.

En s'asseyant sur une banquette, Kay entrevit au niveau supérieur une joue décharnée et une moustache roux pâle. Vu de profil, l'homme ressemblait au jogger de l'appartement 9A, mais elle ne l'avait aperçu qu'une fois une semaine auparavant, à une dizaine de mètres.

Il se trouvait avec un monsieur à cheveux blancs, un directeur littéraire dont le nom lui échappait.

Son hôte barbu, Jack Mulligan, avait écrit sous un nom de plume seize thrillers dont elle avait publié les quatre derniers, des best-sellers. Il écrivait trop – une prose enchevêtrée et fleurie; elle traçait des chemins dans les fourrés, supprimait des métaphores, des locutions adverbiales, transformait une profusion de branches verdâtres en feuillages élégants. Il l'avait suivie de Random à Putnam, pour la rejoindre chez Diadem. L'édition est un jeu d'échecs.

C'était à présent une vedette; les gens s'arrêtaient à leur table pour le féliciter et lui serrer la main. « Bravo Jack! » disaient-ils, et : « Il est temps de prendre ta revanche!

– Non, non, pas vraiment », répondait-il rayonnant. Un mois plus tôt il avait prétendu – puis nié – être responsable des dégâts causés par un virus informatique, finalement introuvable, qui avait touché une revue éminente, éliminant de ses banques de données tous les noms et les mots avec les lettres F et Y. Le compte rendu, très élogieux et truffé de citations, de son roman intitulé *Vanessa's Lover*, avait révélé par négligence l'une des surprises du livre. Il avait envoyé par télécopie quatre pages furieuses au rédacteur du journal, qui s'était contenté de publier une courte lettre larmoyante de lecteur.

Quand la revue hurla son malheur, les amis de Mulligan crurent à ses coups de téléphone – Jure-moi-que-tu-ne-le-répéteras-à-personne. Il avait trois fils dans l'informatique, des pirates en herbe, des spécialistes d'intelligence artificielle et de développement des systèmes de sécurité; en outre, l'auteur de l'article disparut des mémoires de plus de la moitié des ordinateurs qui lui avaient fait confiance jusqu'alors. Flanqué de Paul, Weiss, Rifkind et d'autres encore, Mulligan affirma aux représentants du procureur et du F.B.I. qu'il s'agissait simplement d'une plaisanterie... Il avait *souhaité* le faire, bien entendu il déplorait le vandalisme, etc. Son œil malicieux apparut dans *Live at Five*, *A Current Affair*, et il participa au débat de *Nightline* sur les risques de l'informatique.

Tandis que la revue et son journaliste s'efforçaient de mettre de l'ordre dans leur existence, l'affaire eut le résultat escompté : les ventes de *Vanessa's Lover* s'envolèrent et l'agent de Mulligan exigea une avance astronomique pour un résumé de deux paragraphes de *Marguerite's Stepfather*. C'était dans le faible espoir de réduire cette somme que Kay, avec la bénédiction de son patron, invitait l'auteur à déjeuner aux *Four Seasons*.

« Vous connaissez l'homme à cheveux blancs sur la mezzanine ? » lui demanda-t-elle quand ils furent enfin seuls. « Il travaillait chez Essandess ; je ne me souviens plus de son nom. »

Jack se gratta l'oreille et se retourna pour jeter un regard circulaire dans le restaurant. « C'est à cette table que Bill Eisenberg a eu sa crise cardiaque, dit-il. N'était-ce pas un homme charmant ? Quel dommage. Nous habitions la maison voisine de la sienne l'été 73. Non, 74. Une villa ravissante, avec une terrasse abritée, des glycines splendides.

— Vous le connaissez ? répéta-t-elle.

— Non, c'était en 73, rectifia-t-il. En 74 nous sommes allés en Amérique du Sud. » Il secoua la tête. « Non... Je me demande si Sheer écrit un autre livre. Il prétend le contraire. Il est bizarre pour les questions d'argent. Une fois nous avons partagé un taxi, je lui ai donné un billet de cinq dollars en sortant — le compteur indiquait un peu moins de sept dollars — et il a insisté pour me rendre la monnaie au nickel près. »

Le serveur s'approcha pour prendre leur commande de boissons, et repartit.

« Sheer ? répondit-elle. Vous connaissez l'homme qui est avec lui ? »

Il la regarda. « Je croyais que vous regardiez *Nightline*, dit-il.

— Cela m'est arrivé.

— Sur votre télé portative ? Vous n'avez toujours pas d'autre poste ?

— Il est passé dans l'émission ?

— L'oiseau de mauvais augure. Il a écrit un livre où il explique que les ordinateurs nous rendent vulnérables à toutes sortes de désastres. Comme d'être puni pour avoir saboté une histoire.

— Hubert Sheer... Bien sûr, je me le rappelle à présent. Il vous était hostile... »

Jack pouffa. « Très juste. Pourtant il a été charmant dans le taxi. Il s'est sincèrement excusé pour cette farce " juvénile ". Ils l'ont forcé à participer à l'émission à la dernière minute, quelqu'un s'était décommandé. Il n'aime pas passer à la télé, mais Koppel n'arrivait plus à lui couper la parole. Il a publié ce livre il y a des années.

— Je crois qu'il habite dans mon immeuble, dit Kay.

— Vraiment ? C'est possible, il devait s'installer dans le haut de Madison... »

Ils étudièrent le menu.

Elle leva les yeux et vit que Hubert Sheer la regardait.

Souriant, les joues et le front en feu, les cheveux roux pâle comme sa moustache.

Elle lui fit un signe de tête discret.

Il répondit, très rouge.

Le serveur apporta son Perrier rondelle et le Glenlivet de Jack.

Ils commandèrent des escalopes de veau et du saumon grillé.

« A *Marguerite's Stepfather* », s'écria Jack en levant son verre.

Elle trinqua : « Aux actions de Diadem.

– Trouble-fête. »

Ils parlèrent du nouveau best-seller – qui n'était pas aussi bon qu'on le disait –, du scandale de Washington, de la saison peu prometteuse de Broadway.

L'homme à cheveux blancs s'approcha en riant; à quelques mètres derrière lui, Hubert Sheer boitait, soutenue par une canne. « Kay! Vous me reconnaissez? Martin Sugarman. Comment allez-vous?

– Martin! Comme je suis heureuse de vous voir! »

Il se pencha pour l'embrasser sur la joue. « Vous avez une mine merveilleuse.

– Vous aussi! Jack Mulligan, Martin Sugarman.

– Quel plaisir de vous rencontrer! » dit Martin, serrant la main de Jack dans les siennes. « Il est temps de prendre votre revanche.

– Mais non, mais non », répondit Jack, rayonnant.

Hubert Sheer approcha, il portait une veste en tweed beige, une chemise marron, une cravate rouille. Ses yeux, gris sous des sourcils roux pâle, brillaient d'excitation contenue. Il lui sourit, cramponné à sa canne.

« Kay, voici Hubert Sheer, qui vient de signer chez nous. Kay Norris.

– Félicitations », dit-elle en tendant la main.

Il la prit à l'envers dans sa main gauche, chaude et moite. « Merci. Nous sommes voisins.

– Je sais », répliqua-t-elle.

Ses yeux gris s'agrandirent. Il se tourna vers Jack. « Bonjour...

– Que vous est-il arrivé? demanda celui-ci.

– Je me suis cassé la cheville, répondit Sheer. Avant-hier. Mon vélo m'a lâché alors que je partais faire des photocopies de mon projet. Vous croyez que c'est un message du ciel?

– Peut-être " cassez-vous une jambe " », dit Kay.

Il sourit. Sugarman éclata de rire.

« Je croyais que vous n'écriviez plus, observa Jack.

— Moi aussi, s'écria Sheer, mais le lendemain de *Nightline* Marty m'a appelé pour me proposer une idée qui m'a vraiment excité. » Il fixait la jeune femme d'un œil perçant. « La télévision. Son impact actuel et *futur* sur la société. Une étude exhaustive. Des soaps aux caméras de surveillance, et à l'effet des camescopes sur les affaires mondiales. J'ai même l'intention de...

— Rocky... », intervint Sugarman.

Sheer le regarda en rougissant.

« Je n'en soufflerai pas mot, promit Kay.

— Gardez ça pour vous, ajouta Sugarman. Nous en sommes seulement au début.

— C'est fascinant, remarqua Jack. La suite évidente de votre livre précédent.

— Oui, répondit Sheer. Je suis très excité. J'ai suivi un cours accéléré de japonais. J'y vais la semaine prochaine pour visiter des usines et interviewer les fabricants et les concepteurs.

— C'était le destin, dit Sugarman. L'idée m'est venue un matin, et le soir même je l'ai vu dans *Nightline*. L'écrivain idéal pour ce genre d'ouvrage. Oh! regarde, voici Joni. » Il effleura l'épaule de Sheer. « Vas-y le premier, Rocky, je te rejoins en bas des escaliers. »

Sheer se tourna vers Kay : « Vous faites de la bicyclette ?

— Oui... Mais je n'ai pas de...

— Moi non plus, dit-il en souriant. Un bus l'a écrasée. On en loue dans le parc, près de l'abri à bateaux. Puis-je vous téléphoner à mon retour ?

— Je vous en prie. J'espère que votre voyage sera productif.

— Merci. » Il était de plus en plus rouge.

Il salua Jack et s'éloigna en boitant.

Sugarman se pencha vers eux. « Une perspicacité terrifiante, chuchota-t-il. Des rapprochements étonnants. Vous avez lu *The Worm in the Apple*?

– Non, répondit Kay. Cela me plairait énormément.

– Je vous le fais porter dès cet après-midi. Soit dit en passant, il a demandé à vous être présenté, si cela peut vous intéresser. Il a quarante-trois ans, il est divorcé, c'est un homme absolument charmant. De toute manière je voulais vous dire bonjour. Ravi de vous connaître, Jack. Félicitations. Sur tous les plans. » Il les quitta pour se diriger vers des tables mieux placées.

Elle répondit à Joni qui lui faisait un signe de la main.

« Rocky? dit Jack en coupant son escalope.

– C'est mieux que Hubert », observa-t-elle.

Elle se retourna pour suivre des yeux, derrière la vitre sillonnée de lignes dorées, le dos beige de Sheer qui descendait lentement le large escalier, très près de la rampe.

Peu à peu il disparut de sa vue.

Elle apporta les mesures de ses fenêtres à la section ameublement de Bloomingdale's et commanda de la soie blanche pour le séjour, du chintz à rayures vert et blanc pour la chambre. En cherchant le mobilier contemporain elle découvrit une planche à gratter très originale : des beignets de liège fixés à un poteau chromé géant. C'était le seul magasin où...

Elle fit une séance d'exercices au Vertical Club, passant du pupitre à biceps au balancier d'extension, sans oublier la planche abdominale. Elle pédala un moment sur un vélo d'appartement.

En sortant de l'ascenseur elle fut accueillie par les miaulements de Felice et une armée de valises en cuir rose qui s'entassaient devant la porte ouverte du 20A, où une jeune femme en manteau blanc hurlait au téléphone. « Non. Je pense exactement ce que je dis. » Elle salua Kay d'une main couverte de bagues, et leva les yeux au ciel avec un haussement d'épaules pitoyable. Une jeune femme splendide d'une vingtaine d'années, avec un casque de cheveux blonds. Une allure de mannequin. Kay avait vu dans *Elle* le modèle de son manteau. « Allez-vous faire foutre! » cria-t-elle furieuse en raccrochant brutalement. « Je vais dégager le hall », dit-elle en sortant sur le seuil. Elle poussa une valise du genou pour retenir la porte. « Je suis désolée, votre chat est comme fou, je suppose qu'il n'a jamais senti l'odeur de l'Inde. » Elle s'empara de ses bagages roses. « Quand avez-vous emménagé ?

— Il y a une semaine..., répondit Kay, reculant sur le palier de l'escalier.

— Laissez-le sortir », dit V. Travisano avec un sourire éclatant. « Faites-lui cette faveur. Moi aussi j'adore les chats.

— C'est une femelle. » Elle posa sa serviette et le sac de Bloomingdale's, souleva une valise et tourna la clé dans sa serrure.

Felice se rua au-dehors, toute hérissée, le poil électrique, et se mit à renifler le cuir rose.

« Oh! elle est magnifique! Les chats tigrés sont ceux que je préfère. Comment s'appelle-t-elle ?

— Felice.

— Un joli nom... Moi, c'est Vida Travisano.

— Très joli aussi. »

Elle rit. « Merci. Je l'ai trouvé moi-même.

— Je suis Kay Norris.

— C'est charmant.

— Mes parents l'ont trouvé. » Elle prit Felice, encore frémissante d'excitation.

Sa voisine s'empara de la dernière valise. « Vous êtes

bien mieux que ces pauvres Kestenbaum », dit-elle souriante, une main posée sur le chambranle, les jambes croisées. « Vous avez entendu parler d'eux ?

– Felice ! Arrête ! Non, répondit Kay. Non, pas du tout...

– C'était un couple intéressant, expliqua Vida Travisano. Lui américain, elle coréenne. Très belle. Elle aurait pu être mannequin. Ils ne parlaient jamais de ce qu'ils faisaient. Ils recevaient beaucoup. Et puis il a attrapé une sclérose en plaques et s'est littéralement *décomposé*. Elle poussait son fauteuil roulant... Il y avait de quoi vous *briser* le cœur, tellement c'était *déprimant*. Vous savez ? Ils sont partis en Californie, dans cet endroit où on fait des recherches sur la maladie. Il y a quelques mois, elle pleurait, le traitement coûte une fortune et l'assurance ne couvrait rien. Dieu merci ils ont trouvé l'argent. Si vous voulez manger un morceau avec moi, sonnez à ma porte. Je suis là jusqu'au 9 novembre, et ensuite... » Le téléphone retentit. « Oh ! merde ! Ensuite je partirai sous le soleil du Portugal. Salut. » Elle fit un signe à Felice en refermant sa porte.

La chatte échappa à Kay et se roula sur la moquette.

Dmitri vint poser les crémaillères pour la bibliothèque du séjour, il perça les X marqués au crayon en bas du mur de la cuisine. Elle installa la planche à gratter et indiqua le mode d'emploi à Felice, frottant ses pattes sur les beignets de liège.

Elle suspendit le faucon de Roxie dans l'entrée ; il était plus beau sans le Zwick. Elle rangea des livres dans la bibliothèque tandis que Claire Bloom lisait *To the Lighthouse*. Elle alla se présenter à la librairie Corner dans la 93ᵉ Rue – il n'est jamais inutile d'avoir ses livres en vitrine.

Elle appela ses parents pour les remercier de leur cadeau, une coupe Arts déco qui irait à merveille sur la table basse qu'elle avait commandée. Elle eut avec son père son éternelle discussion à propos de Bob qui ne téléphonait jamais.

Elle lut l'édition en livre de poche de *The Worm in the Apple* [1] de Hubert Sheer : les quatre premiers chapitres. Elle s'empressa de composer le numéro de Roxie : « C'est formidable. Un *très bon écrivain*.

– A quand votre romance ?

– Il n'y en a aucune », répondit-elle, allongée sur le lit. Elle jouait avec l'oreille blanche de Felice. « Nous avons une sorte de rendez-vous pour une promenade à vélo après son retour de voyage. Je ne sais même pas pour combien de temps il part. Il s'en va au Japon dans la semaine.

– C'est plutôt vague.

– Oui », dit-elle en fixant son reflet dans le plafonnier. « Je te le répète, ce n'est pas pour aujourd'hui. Mais il est follement séduisant et son livre m'emballe. Comment ça va avec Fletcher ? »

Elle essaya ses robes d'hiver devant la glace de la chambre, mais sans les enfiler. Rien d'enthousiasmant.

Elle monta sur l'escabeau pour ranger des livres sur l'étagère du haut.

Dans la cuisine, Felice guettait devant la porte du placard de l'évier.

Qui eût cru qu'elle déjeunerait dans le même endroit que l'éditeur de Rocky, quand il y avait des *milliers* de restaurants dans la ville ? Incroyable... À moins que le *Four Seasons* ne se fût transformé en repaire de l'édition new-yorkaise depuis sa dernière visite... Il gardait une certaine classe ; les Stein y invitaient leurs parents pour leurs noces d'argent, Vida et Lauren le conseil-

---

1. *Le Ver dans la pomme* (N.d.T.).

laient à leurs clients. Non, c'était encore une des coïncidences de la vie...

Dommage, Rocky plaisait à Kay. Ils avaient tant de choses en commun, ce serait un couple formidable.

Pourtant il ne changerait rien à ses plans.

Sheer avait rendez-vous mardi en huit à Osaka, à 8 heures du matin, dans la salle d'exposition de la société Takai, sans doute avaient-ils fait une ou deux lampes supplémentaires à titre d'échantillons, ou du moins des photos dans leur book. N'importe quel Japonais impatient de s'emparer d'un nouveau marché eût agi de même.

Pas de panique. Il doit réfléchir. Nous sommes dimanche soir. Non, lundi matin. L'avion de Rocky s'envole de l'aéroport Kennedy vendredi à 11 heures.

Du calme.

Peut-être l'accident de vélo n'a-t-il pas été complètement inutile... Il faut voir le côté positif des choses. Rocky se retrouvait avec un pied dans le plâtre, errant dans l'appartement 9A avec une canne...

Habituellement elle restait à la maison le mardi ou le mercredi, selon ses rendez-vous et ses réunions – et gagnait deux jours de travail, en gardant simplement le contact avec Sara. Elle consacrait à son métier la plupart de ses soirées, ainsi que trois ou quatre heures le week-end; elle lisait des manuscrits au lit tous les matins entre six et huit.

Cette semaine, elle choisit le mardi 24 octobre, la plus glorieuse journée de la saison selon les météorologues de toutes les chaînes. Leurs prévisions se fondaient sur l'étendue du ciel turquoise, et le nombre d'arbres aux couleurs d'automne dans Central Park.

Rester enfermée par une matinée pareille, pour

relire un ouvrage de qualité qu'elle se réjouissait de publier... était une contrainte. Surtout pour une fille de la campagne...

Elle releva ses lunettes pour contempler un vol d'oies et se pencha comme elles atterrissaient sur l'eau, se mêlant aux autres oiseaux.

Elle se remit à lire.

Inscrivit des annotations.

La brise pénétrait par la fenêtre ouverte et jouait avec les feuillets.

Elle termina le chapitre.

Elle enfila une paire d'Adidas, un jean, son col roulé bordeaux, le cardigan de laine irlandaise. Felice, pelotonnée au milieu de son lit, gavée de viande hachée, l'observait sans bouger.

Elle s'élança à grands pas sur le chemin qui contournait le réservoir enfermé par des grilles, ses lunettes de soleil la protégeant de la lumière éblouissante. Entourée de la foule bariolée et des écureuils (elle n'avait pas pensé à apporter des cacahuètes), elle respirait l'air vif avec une joie oubliée depuis des années quand elle découvrit en face d'elle, au détour d'une allée, Sam Yale qui approchait d'un air enthousiaste, les bras ballants, les cheveux ébouriffés. Elle ralentit en plissant les yeux. « Sam ! » s'écria-t-elle. Il s'arrêta net. Un jogger l'évita et reprit sa course.

Elle s'avança vers lui. « Kay. Norris. »

Il sourit. « Bonjour. » Trois hommes le dépassèrent, les pieds écartés, les jambes nues, les coudes repliés.

Elle retira ses lunettes comme il traversait le chemin pour la rejoindre en jean et tennis noirs, un blouson posé sur sa chemise en pilou rouge. « Quelle journée ! dit-il en se frottant les mains.

— Sensationnel, non ? remarqua-t-elle.

— Et comment.

— Je ne veux pas m'arrêter. Venez, suivons les flèches, cela ne vous fera pas de mal.

– Des flèches? demanda-t-il en la suivant.

– A la base de la clôture, expliqua-t-elle en remettant ses lunettes. Tous les trois ou quatre mètres.

– Hé! ralentissez », dit-il. Il se trouvait à gauche derrière elle. « Je suis ici pour le plaisir. »

Elle freina son allure et lui sourit quand il la rattrapa. Son visage ravagé n'était pas mal pour soixante-six ans. Sur la photo en pied de *L'Age d'or de la télévision*. Il apparaissait comme un prodige plein d'âme, avec une chevelure noire ondulée et des yeux cernés.

« C'est un jour de congé dans l'édition? demanda-t-il d'une voix rauque.

– Je travaille quelquefois à la maison.

– Un métier agréable...

– J'ai choisi le mauvais jour. Enfin, le bon. Comment savez-vous que je suis dans l'édition? »

Il laissa passer une poussette conduite par une adolescente en veste de mouton, avec un baladeur sur les oreilles.

« J'ai aperçu votre camion de déménagement le jour de votre arrivée. Il y avait un tas de cartons avec le logo de Diadem.

– Oh!

– Un immense bureau à cylindre. Quelle époque?

– Il date de quatre-vingts ans environ.

– Que faites-vous?

– Je suis directrice littéraire. Tenez, voici une flèche.

– Dieu, ils ont peint cela quand *McKinley* était président. C'est pratiquement invisible. Personne n'est censé *les suivre*.

– Quoi? » répondit-elle tandis que des joggers les dépassaient. « Elles sont pourtant bien là. Il n'est pas interdit de les suivre.

– C'est évident », dit-il, s'effaçant devant deux religieuses. A sa droite, une jument alezane galopait sous une arcade de feuillages flamboyants, montée par un homme avec des bottes noires et une veste à carreaux.

« Quelle journée, répéta Sam.

— Les metteurs en scène se sont mis en congé ?

— Comme tous les autres jours, pour les retraités. Regardez cette vue ? »

Elle considéra les tours étincelantes, blanc et acier, au sud du parc, le Citicorp Building en biseau, la pointe de l'Empire State dans le ciel. « Fantastique, dit-elle.

— Vous n'êtes plus dans le Kansas, Dorothy. »

Elle lui lança un regard oblique. « Où avez-vous lu le mot *Kansas* ? demanda-t-elle.

— Nulle part, dit-il en souriant. Je l'entends dans votre voix.

— Je n'ai pas d'accent, protesta-t-elle, vexée. J'ai tout fait pour m'en débarrasser.

— Excusez-moi, dit-il. Je suis obsédé. »

Ils contournèrent une équipe de télévision qui orientait une minicaméra ornée d'un paon vers les arbres flamboyants.

« Vous oubliez, reprit-il quand ils se retrouvèrent sur le chemin, que j'ai dirigé des acteurs. Mon oreille est exercée. » Il la tapota du bout du doigt. « Pour une personne ordinaire, vous n'avez pas d'accent. Sauf pour dire " boujour " et " comment allez-vous ".

— C'est faux, insista-t-elle.

— Très léger, reconnut-il avec un sourire. Seul un professionnel exceptionnellement doué serait capable de le déceler. » Il laissa passer un homme en uniforme marron qui poussait une brouette pleine de cendres.

« J'ai cherché votre nom dans un ouvrage que nous avons publié il y a quelques années. *L'Age d'or de la télévision.*

— Oh! quel titre!... J'espère qu'il n'est pas de vous ?

— C'est un excellent titre, répondit-elle. Il indique le sujet du livre dans un anglais limpide.

– Bien entendu.

– Mais l'idée n'est pas de moi », reconnut-elle.

Ils se dirigeaient vers la loge de garde à l'extrémité sud du réservoir. Des joggers couraient autour d'eux.

« Vous avez été impressionnée ?

– Très. Intriguée, aussi.

– Vous vous demandez pourquoi cela s'est terminé ? Très simple. L'alcoolisme. Je sors d'une cure de désintoxication.

– Je suis désolée, dit-elle en le regardant. Je suis heureuse que ça aille mieux. Ce n'est pas ce que je voulais dire... je regrette, je n'aurais pas dû aborder ce sujet. Je suis sûre que vous ne souhaitez pas en parler.

– Les initiales sont T.M. ? » demanda-t-il.

Elle acquiesça avec un soupir.

« Tom Mix. Mon préféré depuis toujours. »

Elle sourit.

« Vous avez vérifié nos références...

– Oui. Elle a joué dans près d'une vingtaine des pièces que vous avez dirigées.

– Le public l'a aimée dans *Steel* et *Kraft*.

– Vous avez obtenu deux *Directors Guild Awards* et un *Emmy*, dit-elle, et votre carrière s'est arrêtée net l'année où elle est morte.

– Que publiez-vous ? demanda-t-il. Des baisers langoureux sur fond de châteaux ?

– Cela m'est arrivé.

– Les deux choses n'ont pas de rapport, répondit-il. A ce moment-là je ne la voyais plus depuis deux ou trois ans. Nos chemins s'étaient séparés, au propre et au figuré. Je tournais des films sur la côte Ouest. Elle jouait dans des soaps à New York. »

Ils traversèrent la terrasse devant la loge de pierre, dépassant les gens agglutinés autour des fontaines, les sportifs qui se suspendaient aux bancs, et un groupe d'adolescents en training rouge avec un homme qui tapait dans ses mains.

« Si vous voulez savoir la vérité, dit Sam, ce n'était pas une très bonne actrice.

— J'ai remarqué.

— Ni une très bonne personne. Elle était avide, vaniteuse. Centrée sur elle-même. Méprisante. Egoïste. Mesquine. J'étais fou d'elle.

— *Pourquoi?*

— Qui peut l'expliquer? J'ai dit, fou. » Il regarda le chemin devant lui avec un soupir. « Qui le sait? C'était une matinée enchantée. Dans un studio de télévision plein de monde... »

Les jeunes gens en rouge s'éloignèrent au pas de course, deux par deux, en direction de l'est du réservoir.

« Vous êtes totalement à la retraite? demanda-t-elle.

— J'enseigne un peu... le théâtre, la mise en scène...

— Depuis quand habitez-vous dans l'immeuble?

— Depuis qu'il existe. Trois ans. »

Ils continuèrent leur marche.

Les joggers couraient.

Un adolescent en rouge.

« Si vous vous demandez ce que je fais dans ce coupe-gorge, dit-il, je vous répondrai ceci : je suis un assisté.

— Vous vous trompez, c'est idiot. Tout le monde est dispersé dans la ville, c'est ce qu'il y a de formidable à New York.

— La fondation de Carnegie Hill pour l'enrichissement culturel. Dois-je expliquer quel est leur but? Ils pensent qu'un des moyens d'y parvenir est l'installation dans le quartier de types comme moi, venant d'un milieu artistique. Je ne paie pas de loyer, et en plus je touche une subvention. L'emplacement est idéal pour moi. Smithers se trouve au coin de la

93e Rue. Le centre de désintoxication. J'y ai vécu une période quand l'immeuble était en construction. » Il laissa passer un homme et un jeune garçon qui avaient écrit sur leurs sweat-shirts AVEUGLE et GUIDE.

Ils arrivèrent sur l'esplanade de la 90e Rue, descendirent les larges marches pavées. Une équipe de télévision postée dans l'allée des cavaliers pointait sa caméra sur les passants émerveillés.

« Formidable, dit-elle. On nous verra aux nouvelles de six heures. Demain on ne parlera que de ça au bureau.

— Je suis si affreux ?

— Vous savez ce que je pense.

— Ne paniquez pas, il y a toujours une solution. »

Il fit un geste obscène en direction de la caméra.

Ils traversèrent l'allée du parc et la Cinquième Avenue, puis longèrent les grilles du jardin à l'arrière du musée Cooper-Hewitt, 90e Rue. « Voici la maison de retraite d'Andrew Carnegie, dit Sam.

— Je l'ignorais », répondit-elle, regardant le manoir palladien en brique et en pierre.

« C'est pourquoi nous nous trouvons sur Carnegie Hill. Il n'y avait que des champs quand il l'a achetée. Sa société est finalement devenue U.S. Steel. J'ai tourné tant de *Steel Hours* que je me sens chez moi. Voici la maison où habitait Robert Chambers.

— Le nom me dit quelque chose...

— Le collégien qui a étranglé la fille dans le parc.

— Oh !

— Nous sommes très mélangés dans ce quartier. »

Ils tournèrent au coin de la rue et remontèrent Madison.

« La télévision devait être très différente en ce temps-là...

— Et comment... tout était en direct, pas d'enregistrements, ni de reprises. Chaque émission était une

53

première... le texte oublié, les accessoires qui manquaient, mais quelle intensité, les acteurs se donnaient à fond... Le décor peint en différents tons de gris, la couleur ne comptait pas.

– Pourquoi n'écrivez-vous pas vos mémoires ? Vous pourriez les dicter à un magnétophone. Ce serait passionnant.

– Mes mémoires ? » Il eut un sourire.

« Oui. Réfléchissez-y. Vous connaissez Hubert Sheer ? Il habite dans notre immeuble, au 9 A. »

Il secoua la tête.

« C'est un très bon écrivain, dit-elle. Il prépare un ouvrage sur la télévision dont il serait certainement heureux de vous parler. Il faudra que je vous présente. Pensez à faire vous-même quelque chose. Vraiment, cela vaudrait la peine. Vous pourriez utiliser un matériau personnel. Ou bien écrire une histoire légère et amusante. Je suis sûre que vous en êtes capable. A vous de choisir.

– Entendu. » Il fit un geste en direction de Jackson Hole. « Vous prenez un café ?

– Puis-je remettre à une autre fois ? Je dois aller à la banque et reprendre mon travail. »

Ils traversèrent la 91e Rue. Elle retira ses lunettes.
« Je suis heureuse de vous avoir rencontré, dit-elle en lui tendant la main.

– Moi aussi, s'écria-t-il.

– Pensez-y, insista-t-elle. Ce n'est pas une formule de politesse.

– D'accord », répondit-il en s'éloignant.

Il revint sur ses pas : « Hé... Je plaisantais à propos de votre accent. J'ai vu l'adresse d'expéditeur sur un paquet qui vous était adressé dans l'entrée de l'immeuble. Les Norris de Wichita.

– Merci de me rassurer.

– Je ne voudrais pas que vous pensiez avoir perdu

votre temps. Vous n'avez pas l'ombre d'un accent. » Il lui sourit et s'en alla.

Elle remit ses lunettes et attendit que le feu passât au vert. Sautillant sur la pointe des pieds, elle souriait au ciel turquoise.

Elle présenta trois livres à la réunion des représentants de mercredi; deux leur plaisaient et ils se montrèrent moins hostiles au troisième que ne l'avait craint le service éditorial. Elle passa une heure chez Saks – où elle s'acheta une robe de soie bordeaux et des dessous.

Elle parla longuement ce soir-là avec Bob et Meg Hunter, qui l'appelèrent de l'aéroport Kennedy avant de prendre l'avion pour Londres; ils revécurent Syracuse pendant plus d'une heure. Elle se rasa les jambes pendant que Claire Bloom lisait la dernière partie de *La Promenade au phare* et que Felice faisait sa toilette sur le tapis de bain.

Elle travailla la plus grande partie de la journée de jeudi avec une femme de Newark dont le premier roman – de la science-fiction – avait deux cents pages de trop. Elle se rendit à la réception que donnait la Warner pour célébrer la parution de la biographie de Catherine la Grande, au premier étage du *Russian Tea Room* – le Tout-New York était là, en train de boire du champagne et de manger des blinis au caviar.

Quand elle ouvrit la porte du taxi un flash l'éblouit et une femme à l'air inquiet se précipita avec un micro. « Vous habitez ici ? » « Vous connaissiez Hubert Sheer ? » s'écria un homme. « Savez-vous que cet immeuble s'appelle le gratte-ciel de la terreur ? » Walt les chassa, lui frayant un chemin jusqu'à la porte. « Il m'a lancé un coup de pied ! Vous avez vu ça ? Hé ! portier ! Ça va te coûter cher, *connard* ! »

Walt jeta un coup d'œil par la vitre. « Des sauvages », dit-il avec sa voix profonde de baryton. « Avant on se serait cru au zoo, à l'heure du repas des fauves. Vous avez de la chance d'arriver maintenant.

— Hubert Sheer ? » demanda-t-elle.

Il retira ses lunettes, très pâle, la fixant de ses yeux noisette. « Il est tombé dans la douche. Il avait le pied dans le plâtre, avec un sac de plastique autour... il a glissé et s'est fracturé le crâne.

— Il est *mort* ? » s'écria-t-elle.

Il hocha la tête. Un homme entra en s'exclamant : « Mon Dieu... » Walt étudiait Kay. « Vous le connaissiez, miss Norris ? »

Elle acquiesça.

« Vous voulez vous asseoir ? »

Elle n'en savait rien.

Il la conduisit au banc situé devant les écrans de contrôle, la déchargeant de sa serviette. « Quelqu'un est venu voir, de la part de son agent », lui expliqua-t-il, penché vers elle. « Il ne répondait plus aux messages et avait manqué un rendez-vous.

— Quand est-ce arrivé ? »

Il détourna le regard avec un soupir. « Ils ne savent pas encore. » Ses yeux clignèrent derrière les lunettes à monture métallique. « Il se trouvait sur le carrelage de la douche. Le corps était très chaud. Peut-être qu'on ne pourra jamais déterminer l'heure de sa mort. On n'a pas eu de ses nouvelles depuis lundi soir tard.

— Mon Dieu », dit-elle.

4.

Bien entendu, Edgar appela. « Mon Dieu, quelle
épouvantable malchance !

– Je n'arrive pas à y croire », répondit-il en coupant le son de la télé placée au pied du lit. « Je lui ai
parlé plusieurs fois dans l'ascenseur. Un type charmant. » Il posa la télécommande sur la table de nuit,
prit la tasse I-Heart-New-York; le combiné coincé
contre l'épaule, il arrangeait les oreillers dans son
dos.

« Et en plus c'est arrivé un jour sans nouvelles.

– Cela passera, dit Pete. Comme pour Rafael. » Il
but une gorgée de café.

« Il y a une différence. C'est la cinquième mort, et
non plus la quatrième; cette fois il s'agit d'un auteur
distingué, pas d'un gardien d'immeuble. Cet endroit va
devenir... indésirable. Je regrette de te le répéter, mais
as-tu oublié que je t'ai déconseillé de louer ? Si tu en
avais fait une copropriété tu aurais eu beaucoup moins
d'ennuis. Relativement.

– Je sais », dit-il en regardant une publicité muette

pour un produit de nettoyage. « Je suis désolé de ne pas t'avoir écouté.

– J'imagine que tu as vu les journaux ?

– Non. Je suis encore couché. Je me suis endormi tard hier soir.

– Sur la première page du *Post* on lit : LE GRATTE-CIEL DE LA TERREUR en lettres géantes, à côté d'une photo de l'immeuble vu d'en bas. Les *News* ont choisi : « Terreur dans le gratte-ciel », avec la même image. Le *Times* – nous y voilà – en parle page 3, dans la section B : « Un écrivain est le cinquième mort d'un immeuble de l'Upper East Side. » Ils disent que Connahay travaille pour Merrill Lynch ; je suppose qu'ils rectifieront cela demain.

– Cela passera », dit Pete, chassant du geste nourrissons, gorilles et paillettes de savon. « Cette fois-ci il faudra quelques jours de plus, c'est tout.

– Les téléphones sonnent constamment. " A qui appartient la société ? Que pensent les propriétaires ? "

– Horrible. Que croient donc les gens ?

– Je suggère fortement, et tout le monde ici est d'accord, d'engager un spécialiste des relations publiques.

– Pour faire quoi ? demanda-t-il en changeant de chaîne. Tenir une conférence de presse ? Cela ne servira qu'à envenimer l'affaire.

– Non, non, non. Au contraire, cela calmera les esprits. Il faut encourager les médias à s'intéresser très vite à autre chose.

– Tu connais quelqu'un qui en soit capable ? demanda-t-il en se redressant.

– On m'a parlé de deux personnes. Leurs honoraires ne sont pas forcément déductibles des impôts, mais je pense que nous pourrions convaincre le fisc.

– Envoie le fisc se faire foutre et fonce. C'est une idée géniale, Edgar. Dieu, dans quel monde vivons-nous.

– Je suis heureux que tu le reconnaisses.

– C'est rien de le dire... » Pete raccrocha, un sourire sur les lèvres. Il éteignit la télé et bondit hors de son lit.

Ouvrant tout grand le panneau droit de la fenêtre, il respira profondément, dressé sur la pointe des pieds, en martelant sa poitrine nue de ses poings.

Bien entendu, Alex appela. « J'ai été désolé d'apprendre la nouvelle. Tu le connaissais ?

– Non, dit-elle.

– La liste s'allonge : un suicide, une overdose de coc...

– Alex, je travaille.

– Excuse-moi. Je voulais juste te dire bonjour et prendre de tes nouvelles.

– Je vais à merveille. J'ai accroché des guirlandes d'ail aux fenêtres et mis des crucifix partout.

– Quoi ?

– Rien », répondit-elle.

Roxie téléphona. « Quel dommage... » Elle la fit taire. « Sans doute aimait-il tout ce que je déteste. »

Vida Travisano sonna à la porte, maquillée et parfumée, maintenant du bout des doigts une robe fourreau en satin ivoire. Elle avait en partie boutonné le dos mais le vernis de ses ongles s'écaillait.

Kay la conduisit sous les néons de la cuisine, et se mit à enfiler les perles de satin dans les ganses de soie. Vida se tordait les mains. Felice flaira ses bas, reçut une caresse et retourna à son festin de poisson.

« Quelle broderie splendide... Indienne ?

– Chinoise. Merde. Vous avez de la Super Glue ?

– Non. Désolée. Où allez-vous ce soir ? demanda Kay.

– Un dîner au *Plaza*. Des *discours*... Le gouverneur va être là. N'est-ce pas affreux? Pour Sheer? Je lui ai parlé dans l'ascenseur il y a quelques mois. Il avait trouvé une grosse plante au marché de la Troisième avenue... » Elle poussa un soupir. « L'imaginer allongé là tout ce temps, en train de crever. C'est ce qu'a dit le type de Channel Five, *crever*. » Le casque blond se tourna. « J'espère que ce n'était pas un ami à vous...

– Pas du tout, répondit-elle en continuant son travail.

– Pauvre type... »

Felice alla dans l'entrée et se mit à faire sa toilette.

« J'ai connu Naomi Singer », dit Vida en pinçant un de ses ongles.

Kay boutonna une perle en fermant un œil.

« Nous suivions le même cours à la Y.M.H.A. [1], expliqua Vida. Protection contre le viol. Nous sommes revenues ensemble une ou deux fois. Vous y êtes allée? Dans Lexington?

– A quelques concerts.

– Ils donnent toutes sortes de cours. C'est une organisation juive mais tout le monde peut rentrer.

– Ce devait être une dame bien malheureuse..., dit Kay.

– Elle n'en donnait pas l'impression, mais je suppose que c'est courant. Elle papillonnait. Elle vous ressemblait, des cheveux noirs, un visage ovale. Moins jolie et plus petite. Elle venait de Boston. Et vous?

– Wichita.

– Je suis de partout, dit Vida. Mon père est général de division dans l'armée de l'air.

– Le *Times* n'a pas reproduit le contenu de la lettre..., observa Kay en fixant un bouton.

– Le *Post*, si. Elle était déprimée. Par l'environnement, le racisme, les armes nucléaires, vous savez...

1. Young Men's Hebrew Association (*N.d.T.*).

Elle venait de rompre avec un type de Boston. » Vida soupira. « Elle a fait une peur bleue à Dmitri.

— Ah bon?

— Elle a failli lui tomber dessus. Il astiquait les barres qui soutiennent l'auvent. Dmitri était seulement portier à l'époque et Rafael le gardien. Elle a atterri juste à côté. Il avait du sang sur lui. L'immeuble lui a offert une semaine à Disneyland avec sa femme et son gosse. Tous frais payés.

— Pas si mal.

— Oh! ils ne regardent pas à la dépense ici, dit-elle. Ils y ont intérêt, avec tous ces gens qui claquent. Sinon, personne ne renouvellera son bail... » Elle secoua la tête. « Le gratte-ciel de la terreur... Brrrr. J'ai l'impression d'être dans un film de Jamie Lee Curtis. »

Kay boutonna la dernière perle avec un sourire. « Voilà, Jamie Lee, dit-elle en reculant. Vous pouvez aller saluer le gouverneur. Vous êtes magnifique. »

Un paquet enveloppé dans du papier cachemire, posé sur le comptoir du local à boîtes aux lettres, lui était adressé à la main d'un magasin de la 89ᵉ Rue, Victoriana. Assez lourd, de la taille d'une boîte à chaussures, avec l'élégante étiquette Art nouveau. Elle se demanda ce qu'il contenait, en prenant l'ascenseur avec l'homme à barbiche du douzième et un couple japonais d'un certain âge qui sortirent au seizième.

Elle reconnut la grosse écriture ronde de Norman sur la carte crème ornée du logo de Diadem : *Un ciel limpide, rempli d'étoiles et de chance. Nous t'aimons. Norman et June.*

Elle découvrit, dans un rouleau de plastique et du papier de soie bleu nuit, un magnifique télescope en cuivre avec deux ouvertures de cinquante centimètres environ et, près de l'oculaire un tampon avec une cloche de la Liberté, le nom Sinclair et l'année 1893.

Devenue un nouvel Achab, elle observa un remorqueur qui tirait une péniche sur l'East River et un yacht blanc qui descendait vers le sud de Manhattan. Les voitures qui circulaient sur le Triboro Bridge. Les fenêtres des gratte-ciel, avec parfois des télescopes sur des trépieds. Elle avait le genou meurtri – Felice ronronnait près d'elle.

Elle se rendit au marché aux puces de la 26e Rue en compagnie de Roxie et de Fletcher, acheta une paire de bougeoirs en étain; ils revirent *Annie Hall* et *Manhattan* et dînèrent au restaurant chinois.

Elle lut un bon manuscrit. Se fit faire une coupe et un rinçage. Invita Florence Leary Winthrop à déjeuner aux *Four Seasons*. Un homme était assis à la place de Hubert Sheer. Elle assista à une réunion de fabrication.

Mercredi, son jour de travail à la maison, il fit un temps affreux; la pluie ruisselait sur le parc et le réservoir plombé, sur le toit d'ardoises à clochetons du musée juif, sur les jardins marron. Une journée idéale pour rester chez soi – même si elle devait peiner pour déchiffrer les pages de Florence, couvertes de flèches et d'ajouts illisibles.

Idéal pour la lessive, se dit-elle quand Susannah se mit à frotter les taches de sang sur la veste de cheval de Derek; elle trouverait une machine libre tout de suite. Il était 15 h 25. Elle abandonna Susannah à son sort, attrapa le panier bourré de linge sale dans le placard de l'entrée – Felice se précipita pour voir ce qui se passait – prit les serviettes dans la salle de bains et la cuisine, un paquet de Tide sous l'évier, et des pièces dans la tasse Mickey Mouse.

Quand elle arriva dans la laverie carrelée de blanc, Pete je-ne-sais-quoi aux cheveux roux s'écarta de l'un des sèche-linge pour la regarder, laissant échapper un vêtement jaune dans son propre panier. « Bonjour », dit-elle, en posant ses affaires. A l'autre bout de la pièce une lumière rouge brillait sur une machine qui tournait à vide.

« Bonjour, dit-il d'une voix aiguë. Comment allez-vous ?

— Très bien », répondit-elle, regrettant de ne pas s'être arrangée un peu même s'il n'avait pas plus de vingt-sept ans. « Et vous ?

— Moi aussi, répliqua Pete *Henderson*. Vous êtes bien installée à présent ?

— Presque. » Elle vit son sourire éclatant, son T-shirt vert... et souleva le couvercle de deux machines. « Quel équipement formidable », s'écria-t-elle en retirant les filtres. Tout est de première qualité ici.

— A l'origine ce devait être une copropriété, expliqua-t-il en surveillant son sèche-linge.

— Tant mieux pour moi si ça ne l'est pas.

— Pour moi aussi. »

Elle posa la boîte de Tide par terre et se mit à vider son panier, la couleur d'un côté, le blanc de l'autre. « Je me demande pourquoi ils ont changé d'avis ?

— Je suppose que la demande a évolué.

— Pourtant, une fois que l'investissement était fait... Vous savez qui est le propriétaire ?

— Euh... Non... On envoie les chèques à MacEvoy-Cortez. » Il eut un soupir retentissant. « Vous avez eu droit à un accueil musclé...

— Ça, vous pouvez le dire...

— Ces reporters ne sont-ils pas incroyables ? Je suppose que ce sont des gens convenables au départ, mais ils finissent tous par devenir des piranhas... Comme dans James Bond. Ils dévorent tout.

— Il allait écrire un livre sur la télévision, dit-elle en retournant une paire de jeans, sur la façon dont elle affecte notre vie. Je me demande s'il comptait traiter les journalistes de piranhas...

– Vous le connaissiez? » demanda-t-il.

Elle détacha un mouchoir enroulé autour d'un bouton de chemise. « Un peu. Nous avions été présentés.

– C'est un bon sujet, observa-t-il. Quand j'étais gosse je regardais la télé toute la journée. Maintenant je me contente de louer des films de temps en temps. Voulait-il aussi décrire de quelle manière le magnétoscope a transformé notre vie?

– Sûrement. Il ne m'a pas donné de détails. Nous n'avons parlé qu'une ou deux minutes.

– Cela a dû être plus dur pour vous, de l'avoir rencontré.

– Oui, bien sûr. » Elle glissa la chemise dans une machine, le mouchoir dans l'autre.

« Nous avons échangé quelques mots sur le temps. Dans l'ascenseur. Et j'ai lu son livre sur les ordinateurs.

– Moi aussi, dit-elle en se retournant. Qu'en avez-vous pensé? »

Il réfléchit en silence. « Un travail correct. Je l'ai trouvé bien écrit mais... je me suis ennuyé. Je travaille *dans* l'informatique. Il n'y a aucune raison de devenir paranoïaque; ce ne sont que des machines qui traitent les données rapidement.

– Il ne délirait pas, protesta Kay. L'ordinateur comporte un réel danger.

– Il l'a exagéré. »

Elle glissa les draps à fleurs jaunes dans le linge blanc.

« Quel est votre métier? demanda-t-elle.

– Je suis programmateur indépendant. Je suis consultant pour des sociétés, surtout financières, et j'ai inventé certains jeux qui sont maintenant sur le marché. Et vous?

– Directrice littéraire chez Diadem.

– Vous avez envie de grignoter quelque chose? Des bonbons? Du salé? » Il s'approcha des distributeurs placés à l'autre bout de la pièce en la regardant par-dessus son épaule.

« Non, merci. » Elle tria les derniers torchons et serviettes.

Les pièces glissèrent dans la fente. « Ils vendent de l'herbe à chats, vous savez?

– Non... » Elle ouvrit le bec verseur du Tide.

« Des bouchées pour chiens, aussi. Pourquoi pas des graines pour les perruches? » Une machine frémit; quelque chose tomba.

Elle cessa de poudrer de lessive le linge de couleur et leva les yeux. Il revenait vers elle en déchirant un sachet. « Je vous ai vue acheter de la litière à chats chez Murphy, expliqua-t-il. Samedi matin.

– Oh!

– J'étais avec quelqu'un, aussi je ne vous ai pas saluée. »

Elle reprit son travail.

Il s'appuya contre la machine à laver allumée, un peu plus loin. « Mâle ou femelle?

– Une chatte tigrée », répondit-elle.

Il prit une poignée de chips.

« D'où venez-vous? » demanda-t-elle en agitant sa boîte de Tide au-dessus du linge blanc.

« Pittsburgh. Je suis ici depuis cinq ans. A New York. Dont trois dans l'immeuble. » Il lui tendit son sachet ouvert, la fixant de ses yeux bleu intense.

« Non, merci », dit-elle en refermant le paquet, qu'elle posa dans son panier. « Je viens de Wichita. Je vis ici... Dieu, depuis dix-huit ans à présent.

– Je savais que vous étiez née dans le Midwest... A cause de votre façon de parler. C'est joli.

– Merci... »

Elle replaça les filtres, referma les couvercles.

« Sortez votre masque à gaz », murmura-t-il en regardant derrière elle. Une bouffée de Giorgio atteignit ses narines.

La femme aux bandeaux noirs du huitième s'arrêta sur le seuil, sous la caméra, avec ses lunettes noires, ses perles d'ambre et sa robe à manches longues. Plus loin, un homme introduisait sa bicyclette dans l'ascenseur.

« Bonjour », dirent-ils.

Elle répondit d'un signe de tête, se dirigea vers les distributeurs. Ses hauts talons résonnaient bruyamment sur le vinyle. Giorgio se mêla sauvagement au Tide et au Clorox.

Pete renifla et sourit à Kay, qui glissait des pièces dans les machines. Il se redressa – la lumière rouge s'était éteinte – et s'approcha des sèche-linge. Une cascade de monnaie retentit dans la pièce.

Kay étudia les touches de sélection.

Une femme entra, se dirigeant d'un air soucieux vers la machine contre laquelle Pete s'était appuyé – une brune potelée en chemisier rouge, jupe violette et ballerines marron. Elle prit son panier et ouvrit le couvercle.

« Vous arrivez juste à temps. Elle vient de s'éteindre.

– Hein ? dit la dame.

– Juste à temps, répéta Kay. Maintenant. » Elle traça un trait avec sa main. « Fini. »

« Ah, si », répondit la femme avec un sourire. Elle fourra le linge fripé dans son panier. « Si, veinticinco minutos. Exactamente. Veintecinco minutos.

– Vingt-cinq, dit-elle.

– Si.

– Merci. »

Elle appuya sur les boutons. Les machines se mirent à bourdonner. Elle prit la boîte de Tide. « Pas encore », dit Pete qui la suivait avec son linge propre sous le bras, regardant en direction du hall.

Elle chercha quelque chose à faire jusqu'au moment où Giorgio, sorti vainqueur du combat contre Tide et Clorox, se fut engouffré dans un ascenseur.

« Elle doit avoir un pipe-line direct avec la fabrique », dit Pete comme ils arrivaient dans le couloir coquille d'œuf.

« C'est Giorgio, répondit-elle. Il ne faut pas abuser des bonnes choses. » Elle effleura le bouton d'appel.

Sur leur droite s'ouvrit la porte de l'escalier et Terry entra, vêtu d'un ciré noir mouillé. Il leur sourit et pénétra dans la laverie. Un homme sortit de la remise à vélos avec un poncho jaune trempé et un casque à la main. Il referma la porte grillagée, les salua, et passa la main dans ses boucles blondes.

« Ça tombe toujours ? demanda Pete.

– Pire qu'avant », dit l'homme – corpulent, environ trente-cinq ans.

L'ascenseur de gauche s'ouvrit.

« S'il vous plaît », demanda Pete, la suivant avec son panier à linge. « Le treize. » Elle appuya sur 20 et 13. L'homme au poncho pressa le 16.

Au rez-de-chaussée entra une femme âgée à la figure ronde, en imperméable et chapeau bleu marine. Elle montait au dixième.

« J'ai été ravi de vous revoir », dit Pete, lorsque la porte s'ouvrit sur le palier du treizième étage.

« Moi aussi », répondit Kay avec un sourire.

Elle se cramponnait à sa boîte de Tide.

Elle jeta un coup d'œil à la caméra d'angle.

Prit ses clés quand le 19 s'éteignit.

Elle invita quelques amis le vendredi soir – des gens de Diadem, Roxie et Fletcher. Ils la félicitèrent pour l'appartement, s'exclamant devant Felice et le faucon de Roxie. Ils regardèrent tour à tour dans le télescope, buvant de la vodka, du vin blanc et du soda ; parlèrent des rumeurs de rachat de la maison, de la crise du Moyen-Orient, de la liste de printemps.

« Quel beau plafonnier, dit June pendant le dîner. Il est à toi ? » Tout le monde leva les yeux – une dizaine de personnes assises dans le séjour avec leurs assiettes de poulet et de salade, leurs verres de vin. « Cela appartient à la maison », répondit Kay installée sur un coussin près de la table basse. « Tout ici est de première qualité. Ce devait être une copropriété mais un mystérieux propriétaire en a fait un immeuble de locations. Personne ne sait qui il est ; il se cache derrière un cabinet d'avocats au sud de Manhattan. J'imagine que c'est un emmerdeur mais dans mon histoire il se tient là-haut avec le père Noël.

– Ce poulet est délicieux, dit Norman.

– Je l'ai acheté chez Petak.

– Quelqu'un doit bien savoir qui il est », dit Gary. Kay but une gorgée de vin.

« Les agents qui gèrent l'immeuble l'ignorent. Ils traitent avec les avocats.

– Ce n'est pas surprenant, dit Tamiko. Admettons-le, toutes ces morts ne sont pas une publicité de rêve.

– Cela a commencé le jour où il l'a acheté, observa Kay.

– Depuis Barry Beck, s'exclama June. Jamais je n'ai cru que je me trouverais ici. Et toi, Norman ? Nous nous sommes battus contre ce sliver.

– Nous faisons partie de Civitas, expliqua-t-il. C'est une organisation qui essaie de préserver le quartier et d'empêcher l'excès de constructions. Il y avait deux magnifiques brownstones sur cet emplacement. Nous avons perdu la bataille mais gagné la guerre – contre les slivers, en tout cas. Ils ont été interdits par la loi un mois après le début des fondations de celui-ci.

— Le bâtiment est de première qualité, intervint Stuart. Je n'ai pas entendu un bruit dans l'appartement d'à côté, pourtant des invités sonnaient quand nous sommes arrivés. Je suis locataire dans mon immeuble, et j'entends mon voisin appuyer sur les touches de son téléphone.

— S'il a été bâti pour devenir une copropriété, dit Tamiko, pourquoi le transformer ?

— C'est ce que je me suis demandé, dit Kay en remplissant les verres. Cela m'a intriguée. J'ai parlé à Jo Harding qui travaille à la comptabilité – elle investit dans l'immobilier – et elle m'a expliqué que, dans ce quartier, le marché des locations est beaucoup moins important que la vente de logements. J'ai donc appelé la femme qui m'a fait visiter celui-ci et je l'ai un peu interrogée. C'est elle qui m'a raconté que le propriétaire est un emmerdeur. Elle sait que c'est un homme uniquement parce que les avocats le traitent de fils de pute. Felice ! Descends de là ! *Immédiatement* ! Il les empoisonne à propos de l'entretien, évince des locataires potentiels sans raison logique... Fletcher ? Encore un peu ? Il se comporte comme s'il habitait là, mais pourquoi vivrait-il dans un trois-pièces ? Il pèse au moins cinquante millions. Wendy ?

— C'est peut-être son pied-à-terre, dit Stuart, et il habite dans six autres maisons.

— Sans doute », répondit Kay en remplissant le verre de son amie. « Mais elle m'a donné l'impression qu'il s'agit d'un emmerdeur à plein temps.

— Barry Beck sait probablement qui c'est, dit June.

— Ou l'entrepreneur, un homme qui s'appelle Michelangelo, remarqua Norman. Beck l'a vendu avant qu'il ne soit achevé.

— Cela ne m'intéresse pas tant que ça, dit Kay en

69

versant du vin à Gary. Je suppose que c'est un cinglé et je respecte sa vie privée. Je lui suis reconnaissante. Voulez-vous encore du poulet ? »

Il observait la scène, en hochant la tête.

Il essaya de rire.

Il fallait garder le sens de l'humour, n'est-ce pas ?

Depuis tout ce temps, elle était la première à regarder dans le ventre du cheval de Troie... Ses patrons l'orientaient *instantanément* vers Michelangelo... L'aventure ne manquait pas de sel.

« Emmerdeur » et « fils de pute ».

Dur-dur.

Il la regarda apporter la mousse à la fraise et la poser sur la table. Il se demanda s'il se ferait prendre un jour.

Possible. Comment n'avait-il pas envisagé plus tôt cette éventualité ? L'apparition d'un Columbo à sa porte : « Je suis désolé de vous déranger mais pourriez-vous m'accorder quelques minutes ? J'ai quelques questions à propos des morts dans l'immeuble... »

Du calme. Elle n'irait pas jusqu'au bout. Ne l'avait-elle pas dit ?

Michelangelo se trouvait à Bimini en train de pêcher le pèlerin et de sauter sa nouvelle épouse, il ferait le sourd en ce qui concernait l'immeuble même si le pape en personne l'interrogeait. Alors pas de panique.

Il alla se verser un verre de ginger ale, et trouva du poulet *lo mein*.

Il les regarda boire leur déca en savourant la mousse à la fraise avec des oh et des ah admiratifs. Gentil pour la maîtresse de maison.

Il surveilla la petite fête de Vida, et les Stangerson.

Chris annonça la nouvelle à Sally.

Stefan suppliait Hank.

Kay reconduisit ses chers Norman et June dans l'entrée.

Garder la tête froide. Ne pas s'inquiéter.

N'avait-elle pas dit qu'elle respectait sa vie privée ?

« Je suis désolé de ne pas être venu avant le dîner, dit Dmitri.

— Cela ne fait rien », répondit-elle en le conduisant dans la chambre. « File, Felice. Allez.

— Il y avait une inondation dans la chaufferie hier », expliqua-t-il en agitant un aérosol au capuchon vert près de son épaule.

« Oh, dit-elle en le suivant.

— C'est réparé maintenant. Ça sera bientôt sec. Mmmm ! Quelle belle journée. » Il posa la bombe sur le rebord du bureau, et tira des deux mains le panneau droit de la fenêtre, qu'il fit coulisser sur une dizaine de centimètres. Puis il fit de même avec la vitre gauche. « Pas de problème », dit-il.

Se frictionnant les bras à cause de l'air glacé, elle observa Dmitri, en chemise grise et pantalon marron brillant. Le remplacement des joints de fenêtres lui rappelait-il le saut du cygne de Naomi Singer ? Quelle femme stupide... Pourquoi ne s'était-elle pas jetée de sa chambre ?

Imperturbable, il pulvérisa lentement le produit le long du rail intérieur. Elle s'écarta, se rapprochant de l'armoire. « Qu'est-ce que c'est ? demanda-t-elle.

— Du silicone », répondit-il en recommençant dans l'autre sens.

Felice bondit sur l'appui de la fenêtre et se pencha au-dehors en agitant sa queue blanche au bout noir.

Kay s'avança pour lui caresser le dos. « Non... » Elle la souleva dans les airs, les pattes écartées, le visage

71

tout près de sa tête rousse. « *Non* », répéta-t-elle, fixant les yeux verts aux pupilles verticales. « N.O.N. Pas de ça ici. Finies les neuf vies! C'est un non définitif. Capisci? »

Dmitri glissait le panneau vers elle. Posant Felice sur son épaule, Kay l'embrassa. « On m'a raconté que le propriétaire de l'immeuble est un casse-pied... » La chatte ronronnait.

Dmitri poursuivit son travail. « Je connais Meals, dit-il. Personne d'autre.

— Meals?

— M. Meals, le gérant. Vous l'avez rencontré... » Ses yeux noirs se posèrent sur elle.

« Il m'a envoyé une lettre, répondit-elle. Le marbre de l'entrée lui plaît-il?

— *Da!* Surprise. Le marbre est très beau. » Il posa la bombe, tira le panneau et le fit glisser dans les deux sens. « Vous voyez? Plus de problème.

— Formidable », dit-elle. Caressant Felice, elle regarda l'homme pulvériser l'autre extrémité du rail extérieur. « Dmitri... Je me demande... M. Mills vous a-t-il jamais donné l'ordre... de vous occuper particulièrement d'un locataire, d'écouter ce qu'il dit... de satisfaire ses exigences...?

— *Da*, répondit-il en hochant la tête. Elle...

— Une femme?

— Vous.

— Moi? »

Il acquiesça et reposa l'aérosol. « Quand vous avez signé le bail. » Il tira vers lui la vitre extérieure.

« *Quand j'ai signé le bail?* »

Il lui lança un regard. « Vous ne connaissez pas M. Meals? » demanda-t-il, l'œil pétillant au-dessus de ses pommettes rondes.

« *Non.* »

Il haussa les épaules. « Il m'a dit : " Assurez-vous

qu'elle est contente. Prenez particulièrement soin d'elle. " » Il agita de nouveau l'aérosol.

Elle reposa Felice sur le tapis. « Vous êtes certain qu'il parlait de *moi*?

– " Miss Norris " », déclara-t-il en pulvérisant le silicone dans le rail du dehors. « " Elle s'installe dans le 20 B. Faites tout ce qu'elle demande. "

– Et il ne dit pas une phrase dans ce genre chaque fois que...

– Jamais. Seulement vous, répondit-il en secouant la tête.

– Je ne comprends pas pour quelle raison... »

Il referma les vitres, et s'occupa aussi de la fenêtre du séjour.

Refusa l'argent qu'elle lui offrait en levant les mains au ciel, sans lâcher sa bombe. « Non, non, je vous en prie. »

Elle n'insista pas, et se remit au ménage.

Wendy appela pour la remercier. Elles dirent que June paraissait beaucoup mieux. Discutèrent des rapports entre Tamiko et Gary.

Tamiko téléphona. Elles parlèrent de Stuart et de Wendy.

Puis ce fut le tour de June. « Écoute, lui dit-elle au bout d'un moment, je veux trouver qui est le propriétaire de cet immeuble; peux-tu me donner le numéro de l'entrepreneur ou du maître d'œuvre, ou les deux?

– Oui. Je suis sûre que Civitas les aura.

– Je vais appeler le gérant lundi, mais il est dans le même bureau que la femme à qui j'ai parlé; sans doute n'en sait-il pas plus qu'elle. Je ne pense pas que les avocats se montrent plus loquaces. Je te tiens au courant. Ne bouge pas avant.

– Pourquoi as-tu changé d'avis? »

Elle le lui expliqua.

« J'adore! On se croirait dans *Lydia's Landlord*.

– *Olivia's Landlord*, rectifia-t-elle. Et *Lydia's Doctor*.

– Peu importe. Veux-tu jouer au scrabble avec nous demain après-midi? Il va pleuvoir. Paul sera là. »

Elles ne fixèrent rien de précis.

Merci, Dmitri.

Non, merci toi-même, pour avoir recommandé à Edgar de prendre grand soin d'elle. Comme si quelqu'un avait eu l'intention de l'injurier ou de la pousser dans les escaliers.

Qu'il le voulût ou non, il devait intervenir au plus vite. Avant lundi matin.

Edgar allait faire barrage, Barry Beck ne savait rien, et elle ne tarderait pas à appeler Dominic Michelangelo. Peut-être jouerait-il les imbéciles, mais elle risquait de lui inspirer une de ses reparties macho. *Était-elle déjà passée à la télévision? Elle était sûrement ravissante...* Surtout s'il avait un verre à la main, ce qui arrivait très fréquemment. *Elle n'avait jamais participé à une émission?*

Elle se demanderait pourquoi il s'était retiré à Bimini à quarante ans à peine...

Il devait agir avant *demain*. Elle passerait l'après-midi à jouer au scrabble et dînerait sans doute chez ses amis.

Une partie de lui-même l'entraînait dans cette direction. Il savait laquelle. On n'observe pas un psy du calibre du Dr. Palme pendant trois ans sans en tirer quelques conclusions personnelles.

Elle ne lui laissait pas le choix. A la seconde où elle trouverait les caméras elle le dénoncerait. On n'achetait pas une personne aussi intègre. Il serait perdu. Accusé même de la crise cardiaque de Brendan – un crime de plus ou de moins ne changeait pas grand-chose.

C'était de la prudence, pas de la paranoïa.

Il resta calme. Envisagea plusieurs solutions tandis qu'elle finissait le ménage et allait faire des courses. Le père de Daisy, arrivé de Washington, livrait à Glenn les derniers scoops sur la crise du Moyen-Orient. Il était incapable de se concentrer et ne prit pas la peine d'enregistrer la discussion.

Il choisit la meilleure méthode et réfléchit aux détails, essayant de ne pas s'énerver.

Il sortit acheter quelques provisions, se hâtant dans Madison de peur de la rencontrer.

Il guetta son retour.

Assise à son bureau, elle s'apprêtait à reprendre le manuscrit sur lequel elle avait travaillé toute la semaine.

Il mit la bouteille dans le réfrigérateur.

Il la surveillait.

Il lui téléphona à 17 h 8 précises alors qu'elle finissait un chapitre. Felice sommeillait sur le lit. Il les voyait sur l'écran n° 1, le n° 2 était vide.

Quand il se présenta, elle était tournée vers l'appareil posé sur le bureau, et il ne put voir son visage ; il ne lui laissa pas le temps de réagir. « Je suis désolé de vous déranger, dit-il, mais je voudrais vous parler de quelque chose. C'est trop grave pour une conversation au téléphone. Cela concerne l'immeuble. Pourriez-vous m'accorder quelques minutes ?

— Tout de suite ? » demanda-t-elle en pivotant sur son fauteuil ; elle releva ses lunettes dans ses cheveux pour regarder Felice qui faisait le gros dos.

« Si ce n'est pas un mauvais moment pour vous, dit-il.

— En effet...

— Je peux monter ? »

Elle rapprocha son fauteuil du lit. La chatte avançait tout doucement. « Dans dix minutes », dit-elle. Felice bondit sur ses genoux. « Ouf, s'écria-t-elle en se retournant. Je suis assaillie par un fauve.

– C'est une vraie jungle dehors, dit-il en souriant. Enfin, là-haut. A tout de suite.

– A plus tard. »

Ils raccrochèrent.

Pete inspira profondément. Il la vit poser ses lunettes sur le bureau, caresser Felice. « Mmmm, dit-elle. Intéressant.

– Sans doute », lui répondit-il.

Elle éteignit la lampe, baissa le couvercle étincelant du bureau. Quand elle se leva, la chatte sauta à terre. Elle se dirigea vers l'armoire en déboutonnant son chemisier.

Elle se changeait pour lui. Charmant...

Il regarda son jean taché.

Il ferait bien de l'imiter.

5.

Elle mit son jean noir et le col roulé beige, des ballerines.

Elle se brossa les cheveux et se maquilla les lèvres et les joues, se demandant quel sujet était trop grave pour une conversation au téléphone... et à propos de l'immeuble ? Cela concernait-il les cinq morts ? Elle espérait que non et ne souhaitait pas y songer... Fredonnant *Strike Up The Band*, elle éteignit la lumière de la salle de bains, éclaira l'entrée. Dans le séjour, elle alluma les lampes en bout de table.

L'odeur de l'aérosol planait encore dans l'air. Elle ouvrit le panneau droit de la fenêtre, le retenant de justesse – bon travail, Dmitri – pour l'empêcher de glisser trop loin. Le ciel était noir ; tout en bas, la circulation, plus fluide que les jours de semaine, attendait aux feux rose et or.

Guettant la porte de l'ascenseur, elle retourna dans la chambre, ouvrit la vitre de gauche en grand. Un souffle d'air frais pénétra dans l'appartement. Felice se faisait les griffes sur la planche à gratter. « Tu es une bonne chatte », lui dit-elle en prenant une boîte de biscuits dans le placard. Elle renonça et choisit une tomate cerise dans le frigo, juste au-dessous du paquet de salade. Tout en mâchant elle se rinça les doigts et les essuya sur un torchon.

Dans le séjour, elle arrangea la coupe et les livres sur la table basse, releva le store.

Un long camion de déménagements manœuvrait dans la 92e Rue, son numéro sale se détachait sur son toit rose et or. Il avançait et reculait, bloquant la circulation de l'avenue. Des klaxons retentissaient. Felice se mit à miauler devant la fente de la porte d'entrée.

Le carillon résonna. Kay regarda par le judas et tira les verrous. « Bonjour », dit-elle en lui tendant la main avec un sourire.

« Bonjour », répondit Pete, vêtu d'un chandail jaune canari sur une chemise blanche, d'un pantalon beige au pli cassant, et de tennis blancs tout neufs. Felice les renifla; il se baissa pour lui caresser la tête et les oreilles. « Voici le célèbre fauve, dit-il. Elle est très mignonne... » Felice leva sa tête rousse et blanche en fermant les yeux tandis qu'il lui chatouillait le cou. Ses cheveux auburn encore humides étaient plaqués sur son crâne. « Quel âge a-t-elle ?

– Bientôt quatre ans, dit Kay en refermant la porte.

– Elle s'appelle comment ?

– Felice.

– Comme dans Felix ?

– *Oui.* Vous êtes le deuxième à saisir cela en moins de vingt-quatre heures, ce qui est stupéfiant. Ce détail échappe à presque tout le monde.

– Vraiment ? » Il sourit à la chatte qui se frottait contre sa main.

« J'ai reçu des amis hier soir et quelqu'un s'en est aperçu. Pourtant il la connaissait depuis plus d'un an.

– C'est un nom formidable pour un chat.

– Cela veut dire heureux en espagnol, mais je ne pensais pas à ça.

– Bien sûr, *feliz*, dit-il en se relevant. Merveilleux... Oh! quel tableau! Fantastique...

– Ma meilleure amie l'a peint.

– Vraiment? Ce n'est sûrement pas un amateur.

– Non, elle a exposé ici et à Toronto. Roxanne Arvold. »

Il plissa les yeux. « Elle a admirablement saisi sa... grâce... la délicatesse des plumes... sans laisser oublier que c'est un oiseau de proie.

– C'est l'effet recherché... »

Il se tourna vers le séjour. « Oh! vous l'avez meublé très joliment, dit-il. Des couleurs splendides...

– Tout n'est pas arrivé », expliqua-t-elle, le suivant.

Il s'arrêta devant le Zwick. « J'aime aussi celui-ci. On y sent l'influence de Hopper. Encore une amie?

– Non. L'exposition d'art de Washington Square. »

Il fit le tour de la pièce. « Très joli... » Puis, désignant le canapé : « Comment définiriez-vous cette teinte?

– Abricot, répondit-elle en redressant la tête.

– Ah oui..., réfléchit-il. Ravissant.

– Le canapé l'était aussi, observa-t-elle, avant l'arrivée de Felice. Je vais le faire recouvrir quand elle aura appris à se servir de la planche à gratter. Je suis convaincue que dès la seconde où je suis dans l'ascenseur elle est en train de griffer le velours.

– J'ai l'impression que vous avez raison... », dit-il avec un sourire, se penchant pour caresser la tête de l'animal. « Les chats étant ce qu'ils sont... » Il regarda autour de lui. « Oh! s'écria-t-il, quelle différence entre le treizième et le vingtième. » Il s'approcha de la fenêtre et regarda au-dehors. « C'est extraordinaire. De chez moi je vois le toit du Wales et le dos de cet immeuble.

– Attention, intervint-elle. Les vitres glissent facilement. Dmitri a pulvérisé les rails ce matin.

« – C'est Queens ou Brooklyn ? demanda-t-il.

– Queens, répondit-elle en se tournant vers la gauche.

– Quelle vue », s'écria-t-il avec un sifflement admiratif, jouant avec la queue de Felice qui marchait sur le rebord.

Ils regardèrent les gratte-ciel étincelants, le reflet des réverbères bleu et or des ponts dans l'eau, les champs de lumière au loin. Les étoiles brillaient dans le ciel noir, quelques points rouges et blancs se déplaçaient. « L'aéroport Kennedy est de ce côté, dit-il.

De quoi vouliez-vous me parler ! » demanda-t-elle.

Il se tourna vers elle, l'air troublé. « Je me suis senti coupable, expliqua-t-il. L'autre jour, dans la laverie, vous m'avez demandé qui était le propriétaire de l'immeuble et j'ai répondu que je l'ignorais. Peut-être cherchez-vous encore une réponse à cette question, puisque vous ne comprenez pas pourquoi on a décidé de louer les appartements après avoir fait un pareil investissement. » Il sourit. « J'ai l'impression que vous n'êtes pas le genre de personne à renoncer à un puzzle avant d'avoir découvert la solution. » Il eut un haussement d'épaules. « Et je n'aime pas penser qu'une raison aussi futile vous distrait de votre travail.

– Vous savez à qui il appartient ? » demanda-t-elle.

Il acquiesça.

« Qui ? »

Il tapota son chandail canari. « Moi. Je suis le propriétaire. »

Elle le regarda.

« J'ai grandi en partie dans ce quartier. Mes parents avaient un appartement dans Park Avenue en plus de la maison à Pittsburgh. *Et* de la villa à Palm Beach... » Il poussa un soupir. « J'ai hérité d'un tas de fric à vingt et un ans. J'ai toujours aimé vivre ici, aussi j'ai emménagé au Wales pour essayer de décider de ce que j'allais faire de ma vie. C'était il y a cinq ans. Écoutez, Kay... Je peux vous appeler Kay?

— Bien sûr, dit-elle.

— Cela vous dérange que je ferme cette fenêtre ? proposa-t-il. Il fait un peu frais ici.

— Je vous en prie. Et asseyez-vous, pour l'amour de Dieu. »

Elle s'assit à l'extrémité du canapé, une jambe repliée sous elle.

Il s'installa sur un fauteuil en croisant les jambes, et remonta le genou de son pantalon.

Felice se blottit sur un coussin près du radiateur sous la fenêtre. Elle les observait.

« Comme je vous le disais », reprit-il, posant un coude sur le bras du fauteuil, « j'habitais au Wales. Au cinquième étage, en façade. Je les regardais démolir les brownstones qui se trouvaient là, creuser les fondations, couler le béton... Et je me suis dit que ce serait formidable de posséder un immeuble et d'y habiter, puisque j'avais tant aimé vivre dans la 85e Rue. Nous habitions là... le grand bâtiment avec une cour intérieure... »

Elle acquiesça.

« Et l'immobilier est un bon investissement, n'est-ce pas ? C'est ainsi qu'a commencé Donald Trump. » Il sourit. « J'ai donc demandé à mes avocats de l'acheter pour moi. J'en ai fait un ensemble de locations parce que dans une copropriété il est très difficile de se débarrasser des gens... Si quelqu'un est insupportable et fait la tête tous les soirs, on est impuissant. De cette manière c'est plus souple. Personne ne sait que je suis le propriétaire, pas même les gens de MacEvoy-Cortez, parce que je ne veux pas qu'on m'ennuie avec les détails, ni que les locataires viennent se plaindre ou que le personnel me lèche le cul, excusez l'expression.

— Vous habitez ici toute l'année ? demanda-t-elle.

– Oui. Je suis un passionné d'informatique. Je ne m'intéresse ni aux yachts ni aux villas. Oh! j'imagine qu'un jour je prendrai un logement plus grand, avec une salle de jeux et peut-être une piscine, mais pour l'instant un trois-pièces me suffit amplement. Je n'ai besoin de personne pour classer mes papiers et mes affaires.

– Pourquoi n'avez-vous pas pris tout l'étage du haut? dit-elle en souriant. C'est ce que j'aurais fait.

– Je vous ai expliqué que j'aime les ordinateurs. Je passe ma journée devant mon écran, et aussi la plus grande partie de la nuit. Ce serait du gaspillage. Alors j'habite au treizième. C'est l'étage le plus difficile à louer. Vous n'imaginez pas combien de gens sont superstitieux.

– Surtout maintenant, commenta-t-elle.

– Oui, reconnut-il avec un soupir.

– C'est un coup dur pour vous. L'immeuble a-t-il perdu de la valeur? »

Il haussa les épaules. « Peut-être un peu. Cela reviendra.

– Vous aviez raison, dit-elle. Je me posais encore la question. Je l'ai même demandé à Mrs. MacEvoy, le lendemain du jour où nous avons parlé.

– Vraiment?

– Je me sens un peu... gênée à présent.

– Non, ne dites pas de bêtises. C'est formidable que vous ayez autant de suite dans les idées. J'ai senti cette obstination en vous. »

Ils se sourirent.

« Vous voulez prendre un verre? suggéra-t-elle.

– Bien sûr, pourquoi pas? Merci. Un gin-tonic?

– Une vodka? demanda-t-elle en se levant.

– Parfait. » Il regarda la pièce. « Vous avez énormément de livres. Lesquels avez-vous publiés? »

Elle s'arrêta de l'autre côté du canapé. « Pete, dit-elle en se retournant, Dmitri m'a rapporté que le gérant lui avait recommandé de prendre soin de moi. Quand j'ai signé le bail. Pourquoi ? »

Il inspira profondément, décroisa les jambes et se pencha en avant. « Merci, Dmitri », murmura-t-il.

Il tourna la tête vers elle. « Quand vous êtes venue visiter l'appartement, je me trouvais dans le local des boîtes aux lettres. Je vous ai vue un instant.

— Vraiment ? répondit-elle en souriant.

— Avez-vous jamais entendu parler d'une actrice nommée Thea Marshall ? » demanda-t-il.

Elle le regarda en silence.

Il se redressa, son œil bleu très vif. « Mon Dieu... Je viens juste de me rendre compte... *Bien sûr* que vous savez qui c'est, les gens ont dû vous répéter des centaines de fois que vous lui ressemblez. Je n'y avais pas pensé jusqu'à cet instant... » Il secoua la tête en souriant, puis se leva. « C'est vrai, n'est-ce pas ? » Il s'approcha d'elle. « Ils vous l'ont dit ? Moins aujourd'hui, j'imagine.

— Parfois...

— Vous avez aussi sa voix... » Il se tenait au dossier du canapé. « J'ai été séduit en quelques secondes, je suis certain que vous l'avez remarqué. Le Dr. Palme dit que c'est universel, il n'y a aucune exception. Pour le complexe d'Œdipe, je veux dire. Thea Marshall était ma mère.. » Il cligna des yeux. « Je l'ai entendu expliquer cela un jour dans l'ascenseur. Le Dr. Palme, de l'appartement 2A. C'est un bon psychiatre. Il exerce à l'hôpital Mount Sinai. »

Elle pointa deux doigts. « Deux vodka-tonic... »

Elle prit des verres dans le placard de la cuisine.

Il vint s'accouder au passe-plat. Elle maniait des glaçons en forme de croissants. « C'était une actrice fantastique, dit-il. Si vivante. Elle a joué dans tous les spectacles les plus marquants de l'âge d'or – *The U.S. Steel Hour, Kraft Theatre, Philco Playhouse, Studio One...*

Ils ont des kinescopes de trois de ses films au musée de la Radio-Télévision. Paul Newman apparaît dans plusieurs scènes. Salut, Felice. »

La chatte se dirigeait vers son bol d'eau en miaulant. Kay versa de la vodka sur les glaçons.

« Elle a joué dans *Search for Tomorrow* [1] pendant presque toute mon enfance. La production s'est installée sur la côte Ouest et mon père l'a empêchée de la suivre, aussi elle a été obligée de tourner dans des feuilletons – *The Guiding Light* [2], puis *Search for Tomorrow*. Quel travail c'était. Répéter le matin, enregistrer, mettre en place l'émission du lendemain, rentrer à la maison pour apprendre son rôle... un cycle sans fin. Je ne la voyais qu'à la télé! Mais quelle merveilleuse comédienne. Si pleine de vie. Une année dans *The Guiding Light*, six dans *Search for Tomorrow*... »

Elle versa le tonic. « Que faisait votre père? demanda-t-elle.

– C'était le président de U.S. Steel. »

Elle lui lança un regard.

« Je sais ce que vous pensez, dit-il. Qu'il a peut-être usé de son influence pour lui obtenir des rôles. Ce n'était pas le cas, ni pour *The Steel Hour* ni pour le *Kraft Theatre* – il possédait une bonne partie de Kraft. Il ne s'est jamais mêlé de sa carrière, c'était un principe chez lui. Ils en avaient décidé ainsi. Elle n'a jamais eu besoin d'aide. C'était une très bonne actrice. »

Kay coupa des tranches de citron.

« Vous avez des frères et sœurs? demanda-t-elle.

– Non. Et vous?

– Un frère plus jeune. » Felice grattait sa planche de liège en la regardant. « Tu es une bonne chatte, la félicita-t-elle.

– Ne vous laissez pas impressionner, conseilla-t-il.

1. *En quête du lendemain* (N.d.T.).
2. *Guidé par la lumière* (N.d.T.).

Attendez qu'elle s'y mette sérieusement. Elle vous teste. »

Retenant la porte du placard, elle considéra la chatte qui la narguait, dressée sur ses pattes de derrière. Elle donna un coup de griffe symbolique. « Vous avez raison.

— Désolé, Felice », dit-il.

L'animal prit un air vexé.

Ils se mirent à rire.

Felice abandonna son poste et partit en direction de l'entrée, agitant le bout noir de sa queue.

« Je me suis fait une ennemie, remarqua Pete.

— Elle s'en remettra. Vous avez raison, je me suis laissé duper... Elle est si maligne... » Elle lui tendit un verre par le passe-plat.

« Merci. A la vôtre... »

Elle trinqua. Ils se sourirent avant de boire une gorgée.

Elle se dirigea vers la porte, disant d'une voix plus forte : « *La présence de Sam Yale dans l'immeuble n'est sûrement pas une coïncidence.* » Un verre se brisa sur le parquet, le liquide se répandit. Elle s'immobilisa.

« Merde, que je suis maladroit...

— *Ce n'est pas grave*, dit-elle en reposant son verre pour chercher des serviettes en papier. *Vous êtes la deuxième personne à le faire en moins de vingt-quatre heures.* »

Le bord du tapis était trempé, ainsi que le bas de son pantalon. Accroupis, ils épongèrent le sol et ramassèrent les débris. Felice les observait.

« Je suis désolé pour le verre, dit-il.

— Je le déduirai du loyer, plaisanta-t-elle.

— Non, la présence de Sam Yale n'est pas une coïncidence, reconnut-il enfin. Vous êtes amis ?

— Des relations seulement. Il était derrière moi dans la queue à la caisse de Murphy's le jour où j'ai emménagé.

– J'imaginais que vous vous rencontreriez tôt ou tard.

– Nous n'aurions pas pu faire plus vite, dit-elle. Est-ce vraiment par hasard que *vous* étiez là pour m'accueillir ?

– *No comment* », répondit-il avec un sourire. Il ramassa un morceau de verre et le posa sur une serviette en papier. « Certains facteurs expliquent pourquoi il habite ici, mais ce ne serait pas honnête de ma part de les révéler.

– Il m'a dit qu'il était un ancien alcoolique, et m'a parlé de la fondation. »

Il eut l'air surpris.

« Celle qui le subventionne. Carnegie Hill quelque chose. Vous êtes sûrement au courant.

– Tout simplement, dans la queue à Murphy's ?

– Une fois, dans le parc.

– Oh. »

Ils épongèrent le sol.

« Eh bien dans ce cas, je n'ai plus de raison de ne pas vous raconter toute l'histoire », s'écria-t-il.

Ils apportèrent le tas de débris dans la cuisine. Il alla jeter le tout dans le vide-ordures pendant qu'elle lui préparait un autre verre.

Puis ils s'installèrent face à face sur le canapé, une jambe repliée. Ils trinquèrent en souriant.

Pete but une gorgée. « Je pense qu'ils étaient amants, dit-il. Je ne lui en veux pas. Tant mieux s'il l'a rendue heureuse. Mon père n'avait que ce qu'il méritait. C'était un salaud, il la trompait sans arrêt. »

Il marqua une pause, respirant profondément.

« Après sa mort, reprit-il, Sam a disparu pendant près de dix ans. On ne voyait plus son nom sur aucun générique. Quelques mois après avoir acheté l'immeuble je l'ai entendu faire une conférence à la New School. " La réalisation à l'âge d'or de la télévision. " C'était très embarrassant. Il était à moitié saoul, se promenait dans la salle et oubliait les questions posées... »

Elle poussa un soupir.

« Je me suis renseigné. Il habitait Bleecker Street dans un trou à rats, et enseignait le théâtre. J'ai pensé qu'il refuserait l'argent de mon père, aussi j'ai demandé à mes avocats de créer la fondation. C'est peu de chose. Ils ont engagé quelqu'un qui est entré en contact avec lui et l'a mis dans la clinique Smithers, tout à côté. Quand la construction a été achevée, la fondation a loué un appartement pour lui.

— C'est une preuve incroyable de votre générosité et de votre bon cœur », s'écria-t-elle.

Il haussa les épaules. « Il a dirigé certains des meilleurs spectacles de Thea Marshall. Je savais qu'elle l'aurait aidé même s'ils n'avaient pas été amants. Et s'ils l'étaient, je ne lui en fais pas grief.

— C'est visible. »

Ils se sourirent.

« Enfin, dit-il, nous nous sommes écartés du sujet, mais je voulais simplement vous apprendre que j'étais le propriétaire. Voici la réponse à votre question. Je vous ai menti une seconde fois. Je savais que vous aviez un chat parce que j'ai lu votre demande. Je ne me trouvais pas chez Murphy's samedi matin. J'ai simplement imaginé que vous faisiez vos courses là et que vous achetiez de la litière.

— Vous avez vu juste, déclara-t-elle gaiement. Je vous pardonne vos deux mensonges. Avec joie. »

Felice bondit sur le velours abricot et flaira les doigts de Pete. « Tout le monde me pardonne, soupira-t-il.

— Vous ne craignez pas que je le répète aux autres locataires ?

— Non, répondit-il en secouant la tête. Vous ne le ferez pas. Vous respectez... ma vie privée.

— Comment le savez-vous ?

Il haussa les épaules. « Je le sais, c'est tout. » Ses yeux bleu vif la fixèrent. « C'est dans votre nature. Je me trompe ?

— Non », dit-elle en le regardant.

Felice se blottit près du genou de Pete. Il lissa son oreille rousse et lui caressa la tête. « Qu'elle est mignonne...

— Vous avez peut-être faim ? dit Kay. Mon frigo est plein de poulet à l'estragon et de salade, j'ai de la mousse à la fraise...

— Fantastique, s'écria-t-il. J'ai une bouteille du meilleur Dom Perignon, celui qu'on boit dans les films de James Bond. Je cours le chercher chez moi ?

— Pourquoi pas ? » répondit-elle avec un sourire.

« Alex a seize ans de plus que moi. Il enseigne l'histoire de l'architecture à New York University. Il était professeur à Syracuse quand nous avons commencé à sortir ensemble. Quand j'étais en seconde année.

— Plus chaud ?

— Bien sûr. »

Il défit le bras qui l'enlaçait et chercha à tâtons le robinet de la douche.

« Nous nous sommes mariés quand j'avais vingt-neuf ans, dit-elle. Mmm, que c'est bon. Et Jeff a *douze* ans de plus ; tu n'es pas le seul à avoir un problème parental. » Elle embrassa sa gorge alors qu'il lui léchait le sourcil. « Toi, au moins, tu es en train de résoudre le tien... », répondit-il. Ils s'embrassèrent en riant.

Leur baiser dura un long moment. « Mon Dieu... » Il la faisait tourner. « On parlera de nous dans *The Guinness Book of Records*...

— Recule un peu... — Attends une seconde... » Elle tendit la main pour augmenter la chaleur de l'eau.

DEUX

6.

Elle s'élança dans l'entrée du bureau, puis ralentit.
Elle dit bonjour en souriant à Gary, Carlos, Jean,
Sara — s'efforçant de cacher qu'elle avait passé la
nuit de samedi et tout le dimanche à faire l'amour
avec un jeune homme de vingt-six ans qui était l'être
le plus sensible et le plus intuitif qu'elle eût jamais
connu.

Le confier à Roxie était une chose; elle n'allait pas
raconter sa vie au monde entier.

Vers 10 heures et demie, elle alla voir June, demanda
comment s'était passée la partie de scrabble et dit
qu'elle n'avait plus besoin de ces numéros de téléphone; elle avait parlé au gérant, et tiré l'affaire au
clair. Il avait recommandé au gardien, qui ne parlait
pas très bien l'anglais, d'être plus attentionné avec
tous les locataires; elle revenait donc à sa première
position, qui était le respect de la vie privée du propriétaire. Après tout, la vie n'avait pas imité *Olivia's
Landlord.*

Elle n'aimait pas mentir à June, même pour une

bonne cause, mais elle craignait de tout révéler si elle commençait à parler.

Le soir précédent elle s'était précipitée sur le téléphone pour tout confier à Roxie. « Il a ces yeux bleu intense et je jure devant Dieu qu'il déchiffre mes pensées! Et ce n'est pas tout, Roxie : il a regardé le faucon, qui lui plaît énormément, et il a vu *immédiatement* ce que tu recherchais, il l'a exprimé *avec tes propres mots*! Il a même charmé Felice! Tu n'imagines pas à quel point il est sensible! Et drôle, gentil, fou de moi... »

Elle raconta à Roxie l'histoire de ses parents, lui décrivit la simplicité de son mode de vie – malgré sa fortune il faisait sa propre lessive, son appartement était meublé d'Habitat contemporain, un désordre indescriptible y régnait...

Elle savait que ce ne serait pas une relation durable, à cause des treize ans qui les séparaient... cela vaudrait mieux pour lui; il devait avoir des enfants. Mais pour l'instant, on ne pouvait imaginer une rencontre plus agréable.

Roxie, enchantée pour elle, l'approuva.

Que penserait le Dr. Palme? Elle espérait qu'il serait d'accord – et que Pete ne tarderait pas à se sentir suffisamment en confiance pour lui avouer qu'il était en thérapie. Le pauvre petit ne voyait sa mère qu'à la télévision, cela l'avait terriblement marqué!

Peut-être avait-il entendu le médecin parler du complexe d'Œdipe dans l'ascenseur? Entre l'entrée et le premier étage. Une chance sur un million?

Elle regarda les gratte-ciel de bureaux aux parois de verre, hésitant à l'appeler... juste pour s'assurer qu'il existait quelque part dans Carnegie Hill.

Non. Elle décida de ne pas l'ennuyer; il travaillait devant son ordinateur dans son séjour en désordre, mettant au point le programme pour Price Waterhouse.

Elle avait beaucoup à faire; elle demanda à Sara de lui apporter son agenda.

Il observait Sam.

Tapant avec deux doigts sur la machine à écrire portative qu'il avait rapportée de Tucson. Sans doute appartenait-elle à Abe. Il était installé sur la table du séjour avec une rame de papier et un dictionnaire; ses lunettes sur le nez, vêtu de son sweat-shirt musical, il s'interrompait de temps à autre pour se gratter l'oreille ou chercher un mot. Pas de joint en vue.

Il renonçait à la drogue? Qu'écrivait-il donc?

La vieille ordure... Dans la queue du supermarché derrière elle, le jour de son emménagement. Pour essayer de recommencer l'histoire...

Et dans le parc? Quand? Comment? Que lui avait-il dit d'autre? Il s'agissait apparemment d'une conversation sérieuse.

Le matin de la mort de Rocky? Il s'était réveillé vers midi pour la trouver au téléphone, devant son bureau, en train de décrire la splendeur du parc à Sara. Cela le rendait fou de ne pas savoir.

Il eut un sourire – l'accumulation d'informations le rendait exigeant. A quoi bon découvrir le sujet de leur entretien? Et de quelle façon ils s'étaient rencontrés?

Du calme, Sammy, tu ne peux pas toutes les avoir. Tu devrais t'estimer heureux d'être en vie. Tu ne connais pas ta chance... Abe a bien failli être présent à *ton* enterrement...

Il regarda Beth qui fouillait les tiroirs de la commode d'Alison. Elle ne brûlait même pas.

Le Dr. Palme et Michelle – comme d'habitude. Lisa faisait de l'aérobic.

Kay et lui sur son lit, elle couchée sur lui, sur le point de jouir.

Elle était vraiment fantastique. Naomi avait été frigide en comparaison.

Il accéléra une séquence de conversation, les chassant du lit et de la pièce, puis il rembobina le film.

Sur l'écran ils commencèrent de nouveau à se caresser et à s'embrasser.

Il songea à lui téléphoner, il ne voulait pas la déranger.

Elle éprouvait sûrement la même chose, et n'était ni en répétition ni en tournage...

Il coupa le son. Il demanda le numéro de Diadem aux Renseignements.

Sara répondit. « Bonjour, dit-il, je m'appelle Pete Henderson. Puis-je parler à Mrs. Norris si elle est disponible ? C'est personnel.

— Un instant, s'il vous plaît. »

Blottis l'un contre l'autre, ils faisaient un soixante-neuf.

« Bonjour...

— Bonjour..., dit-il sans quitter l'écran des yeux. Je suis désolé de te déranger mais je voulais m'assurer que tu étais bien réelle... »

Quelques jours plus tard – un matin où elle découvrit Vida qui tirait ses valises sur le palier, vêtue d'un kimono à fleurs, l'air attristée par la perspective d'un mois au Portugal – elle se rendit compte (dans l'ascenseur qu'elle prit en compagnie de l'homme à barbiche du douzième et du couple noir/blanc du septième) que Pete connaissait l'occupation, les revenus et l'état civil de tous les habitants de l'immeuble, ainsi que leurs références et l'état de leur compte en banque.

Fameuse distraction...

Elle le mentionna vers 10 heures du soir, alors qu'ils mangeaient un burger et des frites chez Jackson Hole.

Il continua de mâcher en la regardant.

Il avala sa bouchée, porta la chope de bière à ses lèvres.

« Je n'utiliserais pas le mot " distraction ", dit-il en s'essuyant la bouche. Mais il est très satisfaisant de connaître les faits essentiels de la vie de chacun. Nous sommes tous curieux de nos voisins, c'est un instinct de défense que nous inspire la partie la plus primaire de notre cerveau. Une manière de flairer le danger, comme Felice. » Il prit une frite dans l'assiette.

« Il est beaucoup plus facile de parvenir à ce but dans la banlieue de Wichita, je peux te l'assurer, répondit-elle. Je connaissais l'histoire de chaque famille dans Eleanor Lane.

— Si tu as des questions à me poser, suggéra-t-il, n'hésite pas.

— Je ne pensais pas que tu me le proposerais... Que fait ma voisine de palier? Vida Travisano?

— Officiellement elle est mannequin, dit-il avec un sourire. Mon avocat pense que c'est une call-girl de luxe. A ton avis?

— L'un ou l'autre. Ou les deux. J'espérais que tu trancherais pour moi. Pourquoi l'as-tu acceptée? Je n'ai pas d'objection, elle est adorable, mais si l'avocat croit que...

— J'aime l'idée d'avoir une population mélangée dans mon immeuble, observa-t-il en avalant une gorgée de bière. Toutes proportions gardées, étant donné le quartier et le loyer. Je ne veux pas être entouré uniquement de yuppies, même dans l'ascenseur.

— Cela paraît raisonnable.

— Ah, mais tu n'es pas juriste. Tu ne travailles pas dans l'immobilier. Je suis sûr qu'ils me considèrent comme un cinglé et un emmerdeur. »

Elle haussa les épaules. « Si c'est le cas, c'est *leur* problème. »

Ils grignotèrent leurs burgers, en se caressant les pieds.

« A quoi ressemblent les Johnson ? demanda-t-elle.

– Les Johnson ? Ah, 13B. Ils ne sont jamais là, je les oubliais. Sauf quelques semaines par an. Des Anglais, la cinquantaine. Il est avocat, et elle... je ne sais plus. Rien. Elle fait les magasins. Elle rentre avec un tas de paquets. »

Giorgio passa devant la vitrine du restaurant avec un berger allemand qui se mit à flairer le bas du réverbère.

« Que fait-elle ? demanda Kay avec un sourire.

– Elle possède une agence de voyages dans Lexington. Célibataire. » Il prit une frite.

« On dirait un travesti, dit Kay en regardant au-dehors.

Il plongea sa frite dans le ketchup. « C'est juste. » Il chercha la serveuse des yeux.

Elle alla au déjeuner du Women's Media Group au Harvard Club. Tout le monde dit qu'elle n'avait jamais été aussi belle. *Idem* au Vertical Club.

Elle emmena Felice chez le Dr. Monsey de Bank Street, pour ses piqûres ; elle s'arrêta à l'épicerie et à la librairie. Tout le monde la félicita pour sa belle mine.

Ils firent une promenade à vélo dans le parc. Mangèrent des spaghetti avec une sauce aux clams.

Ils allèrent avec Roxie et Fletcher dans un restaurant cajun de SoHo. Pete parla en connaisseur du processus artistique, et des directives fédérales concernant le financement de la recherche médicale. Il dit une plaisanterie qui leur donna le fou rire. Il échangeait avec elle des morceaux de nourriture et des regards amoureux.

« Ne te l'avais-je pas annoncé? chuchota-t-elle à Roxie dans les toilettes.

— Écoute », répondit son amie, qui se tenait sur la pointe des pieds pour se maquiller les yeux, « s'il est riche et s'il fait si bien l'amour, *retiens*-le pour l'amour de Dieu!

— Roxie...

— Steffi a *quinze* ans de plus que Mike et ils sont heureux comme des pinsons. Fonce! »

Un soir où ils s'apprêtaient à dormir chez elle, elle mentionna qu'un agent l'invitait à déjeuner le lendemain aux *Four Seasons*.

« Thea Marshall m'y a emmené pour mes dix ans », dit-il, blotti contre son dos, la joue dans ses cheveux et les mains refermées sur ses seins. « J'étais impressionné, cela me paraissait si grand... Nous étions près de la piscine. Les serveurs et les maîtres d'hôtel nous léchaient les pieds comme si... nous avions été Jésus et Marie... C'est devenu le rendez-vous des gens de l'édition?

— Juste à l'heure du déjeuner. Le grill room.

— J'ai l'impression d'avoir entendu ça quelque part... »

Felice contourna leurs pieds enchevêtrés dans la couverture.

Kay effleura le dos de sa main. « Tu dis toujours " Thea Marshall ", jamais " ma mère " », remarqua-t-elle. Il eut un frémissement.

« C'est ainsi que je pense à elle. C'est ce qu'elle a toujours *voulu*... être considérée comme une actrice, non comme une mère. Elle m'a fait uniquement pour obéir à mon père. Le plus ironique, c'est ce rôle de jeune mère idéale qu'elle jouait à l'écran. Dans *Search for Tomorrow*. Parfaitement convaincant. Jour après jour, une performance fantastique. Je prenais un taxi après l'école pour arriver à temps pour l'émission, le magnétoscope n'existait pas. »

Elle attira ses mains contre elle et les couvrit de baisers. « Tu sais, chéri, que tu peux tout me dire...

– Je ne comprends pas. » Il était étendu sur le dos, immobile.

Elle se retourna dans ses bras, l'étreignit. Il la regarda dans la pénombre. Elle embrassa le bout de son nez. « Tu me caches quelque chose, amour? »

Il se tut.

« Il n'y a aucune honte à le faire si tu en as besoin, dit-elle. Je suis tout à fait pour, tu sais.

– De quoi parles-tu? demanda-t-il inquiet.

– Du Dr. Palme... »

Il avala sa salive. « Le Dr. Palme? »

Elle acquiesça.

« Tu... penses... que je le vois?

– Je me trompe? »

Il secoua la tête. « Je ne suis pas son patient... Je n'ai jamais été en thérapie. Chez personne. Pourquoi le croyais-tu? Quand j'ai dit que je l'ai entendu...?

– Cela paraissait si peu... vraisemblable, dit-elle, qu'il ait parlé du complexe d'Œdipe dans l'ascenseur et que tu l'aies entendu. »

Il sourit. « Mais c'est arrivé. C'est l'une des extraordinaires coïncidences de la vie. »

Elle l'étreignit encore, se blottissant contre son épaule. « Mon Dieu, chéri, je suis désolée. *Crois-moi*, il ne s'agissait de rien d'autre. Cela me donnera une leçon. J'étais persuadée... »

Ils s'embrassèrent, Felice sauta du lit.

Il éclata de rire et respira profondément. « Ça alors... Je me demandais vraiment de quoi tu parlais... »

Ils firent le tour de Manhattan sur un bateau de Circle Line.

Elle lui coupa les cheveux.

Il lui offrit un paquet de chez Tiffany. Le bleu du papier était celui de ses yeux. A l'intérieur, un ravissant cœur en or, le plus gros de la série.

Elle lui offrit cinq livres de bonbons de luxe de toutes les couleurs.

Sam téléphona. « Comment allez-vous ?
— Très bien, et vous ?
— En pleine forme. J'ai passé quelque temps en Arizona. Mon frère est mort.
— Oh ! je suis désolée...
— Qu'est-ce que vous voulez, on n'y peut rien... Ce qui est arrivé à votre ami Sheer est affreux. Je commence à penser que cet immeuble est maudit.
— Mais non, dit-elle.
— Écoutez, j'ai réfléchi à votre conseil. A propos des mémoires. J'ai décidé de m'y mettre. Drôle et sérieux à la fois, pourquoi avoir honte ?
— Ah ! c'est une *grande* nouvelle, Sam ! s'écria-t-elle. Je suis vraiment heureuse de l'entendre. Je suis sûre que vous y parviendrez.
— Merci, moi aussi. J'ai écrit... une sorte de premier chapitre. Vous voulez le voir ? »
Elle respira profondément. « Je pense que je ne suis pas la bonne personne. Je publie surtout de la fiction. Mais envoyez-le-moi, absolument. Déposez-le dans ma boîte. Je le passerai à quelqu'un qui le lira avec attention et vous fera part de ses réactions.
— Parfait... Merci. J'apprécie votre aide. C'est horriblement mal tapé.
— Tant que c'est lisible et tapé avec un double interligne. »
Elle en parla à Pete quand il arriva – tard, il avait eu un problème avec le programme sur lequel il travaillait. « Ce sera intéressant », dit-il, assis sur le bord du lit où elle s'était recouchée. « Je vais peut-être enfin découvrir ce qui s'est passé entre lui et Thea Marshall. »

Elle le regarda retirer un tennis en se battant avec Felice qui jouait avec les lacets. « J'ai l'impression qu'il existait une relation, à la fois d'amour et de haine. Il risque de dire sur elle des choses désagréables. »

Pete haussa les épaules. « C'est pour cela que tu le donnes à un autre ? demanda-t-il.

– Non. Tu sais que je m'occupe surtout de fiction. »

Il enleva sa chaussure. « C'était ton idée. Je croyais que tu avais envie d'y travailler *toi-même.* »

Elle rassembla les pages qu'elle était en train de lire. « Oh..., répondit-elle en secouant la tête. Bien sûr, cela me plairait, si ce qu'il a écrit en vaut la peine. Mais à présent ce ne serait pas confortable, j'en sais trop sur lui, je connais l'histoire de la fondation. Ce serait une relation très ouverte et sincère, spécialement avec un auteur qui aura besoin d'être materné chapitre après chapitre. Ce n'est pas bien de surveiller sans cesse ce qu'on dit. » Elle glissa le manuscrit dans sa boîte. « En plus, je serais très ennuyée de découvrir des choses qui pourraient te blesser... » Elle rangea le texte sur une pile, sous la table de chevet.

Il ne la quittait pas des yeux.

Elle lui sourit et tendit la main pour lui caresser la joue. « Ce n'est pas important, chéri. Vraiment. Je ne le connaîtrais même pas si tu ne l'avais pas fait venir dans l'immeuble, n'est-ce pas ? »

Il hocha la tête.

Elle sourit. « Alors oublions tout cela, et déshabille-toi.

Il lui sourit et se pencha sur son autre tennis.

Sam laissa une enveloppe dans sa boîte aux lettres – une douzaine de pages pliées, mal tapées mais passionnantes : New York au début des années 30, Sam et

Abe, huit ans et douze ans – Yellen, et non Yale –, découverts dans le Bronx par l'acteur Maurice Schwartz et faisant leurs débuts sur scène dans *Waiting for Lefty*, une production du Group Theatre.

Cela évoquait un peu E.L. Doctorow...

Elle donna le texte à Stuart.

A aucun instant il n'avait prévu de tomber amoureux d'elle.

Un manque de clairvoyance surprenant, face à une femme aussi merveilleuse... douce, chaleureuse, drôle, honnête, intelligente, sexy... et qui ressemblait autant à Thea Marshall. Il le savait depuis le jour de son emménagement – plus encore maintenant – mais l'idée ne lui avait jamais traversé l'esprit.

Voilà que tous ses plans étaient détruits.

Assise sur le canapé, les pieds posés sur la table basse, elle lisait un autre manuscrit, vivement recommandé par un agent. Sur les conflits sexuels de l'époque.

Il aurait aimé lui parler de Phil, Mark et Lesley, de Vida, des Fisher, des Hoffman – de *tout* ce qui se passait dans l'immeuble, pas seulement les histoires de sexe. Elle avait entièrement raison : il n'était pas bon de surveiller chacune de ses paroles, de ne partager aucun secret. Déplorable, même.

Si Naomi, qui n'avait pas eu la moitié de son intelligence, avait tout compris, *elle* ne tarderait pas à saisir pourquoi il se montrait si prudent. Ne risquait-il pas de commettre un impair ? Qu'*arriverait*-il alors ?

Elle se tourna vers lui, le regardant par-dessus ses lunettes : « Que se passe-t-il ? demanda-t-elle.

— Rien. Je te contemple. C'est une joie pour les yeux.

— Si ce roman ne te plaît pas, ne le lis pas, proposa-t-elle. Je ne serai pas blessée.

— Tu te trompes, il m'intéresse, énormément. Cette partie sur le bateau est formidable. »

Ils se sourirent. Elle indiqua la porte du menton. « Va chez toi. Travaille à ton programme. Moi aussi j'ai besoin d'être un peu seule. »

Il glissa le bord de la jaquette du livre à l'intérieur des pages. « Je le prends avec moi. » Il se pencha pour l'embrasser. « Je t'aime », dit-il.

Elle répondit à son baiser et lui caressa la joue.

Il se leva, contourna le canapé. Une fois dans l'entrée il cria : « *Bonne nuit, Felice, où que tu sois !* »

A ce moment Kay reposa le manuscrit : « Attends une seconde... »

Il l'attendit près de la porte.

Elle s'approcha de lui, le fixant dans les yeux. « L'une de nos directrices littéraires, Wendy Wechsler... J'ai dû mentionner son nom... »

Il acquiesça.

« Elle organise un dîner de Thanksgiving pour les déracinés qui ne rentrent pas chez eux. Veux-tu m'accompagner ? Je sais que c'est déjà tard mais... j'ai hésité à t'en parler. Tu sais... »

Il détourna les yeux et glissa le livre sous son bras pour la prendre par les épaules. « Je serais très heureux de venir avec toi, Kay, et je te remercie pour ta proposition. Sincèrement. Mais j'ai promis d'aller chez ces cousins de Pittsburgh. Je repousse leur invitation d'année en année et je ne peux *plus* reculer maintenant que j'ai accepté.

— Je comprends, dit-elle.

— Je suis désolé.

— Ça ne fait rien. Je n'aurais pas dû attendre si long- temps. »

Ils s'embrassèrent longuement.

Il la regarda. « Mmmm ?

– Non... Nous avons tous les deux besoin d'un peu d'espace. Va. On se parlera demain. »

Après un dernier baiser, il ouvrit la porte et s'en alla.

Elle le vit s'engouffrer dans l'escalier. Il la salua de l'autre côté de la vitre grillagée.

Elle verrouilla sa porte en soupirant, puis elle prit Felice dans ses bras, tout près de son visage. « Des cousins ? » demanda-t-elle.

« C'est quelque chose que j'ai dit ?

– Non.

– Ou que j'ai fait ?

– *Non*. Il s'agit de moi, pas de toi. Honnêtement. » Il referma les paupières.

Elle baisa ses lèvres, lissant ses cheveux des deux mains. « C'est ton travail ? »

– Non. Oui. *Non*.

– Je ne suis pas *totalement* analphabète en matière d'ordinateurs, tu sais...

– Chérie, chut, s'il te plaît, ne parlons pas. Chut. Silence. Le son est coupé. »

Elle couvrit son visage de baisers et ferma les yeux. Il pénétra en elle, le sexe durci.

Elle signa avec un auteur, acheta un tailleur.

Il n'appelait pas. Elle décida d'attendre, cette fois-ci.

Elle fit une séance de gymnastique au club, réussit un beau coup à une réunion éditoriale. Se rendit à une soirée. En rentrant elle écouta le répondeur. Pas de message de lui.

Elle fit cuire deux tartes à la citrouille, sous la surveillance de Felice.

Le matin de Thanksgiving elle téléphona à ses parents. Bob et Cass étaient là, ainsi que l'oncle Ted, tout le monde semblait très gai, sauf le bébé qui pleurait dans le salon. La conversation fut agréable – pas de discussions, pas de questions sur les hommes de sa vie. Ils attendaient impatiemment sa visite pour Noël. Elle aussi.

La dinde était desséchée mais la farce délicieuse, la table plus large que l'année dernière – des visages familiers, de nouvelles têtes. Elle l'imagina dans un manoir glacé de Pittsburgh ou, espérait-elle, seul devant son ordinateur avec un dîner surgelé. Qu'il aille au diable. Le suave orthopédiste de Wendy lui fit des avances mais elle en avait fini avec ces vieilles histoires. Les tartes étaient tout écrasées. Une fois à la maison, elle écouta les appels. Rien.

Vendredi fut une journée affreuse. Le ciel gris, des flocons de neige. Elle paya des factures, fit un peu de ménage, changea les draps. Par la lunette du télescope, elle observa des mouettes sur le réservoir, les joggers sur le chemin clôturé par des grilles – deux femmes d'un certain âge, en survêtement bleu, discutaient sur le côté avec force gestes. Dommage, elle ne pouvait lire sur leurs lèvres. Felice se frotta à son genou.

Elle essaya de travailler – de couper des passages dans une biographie surchargée de Dorothy Parker. Elle n'arriva à rien. Que *faisait*-il?

Elle se blottit sur le canapé pour regarder des soaps – *One Life to Live, General Hospital*. Elle espéra que les actrices, dont certaines étaient assez bonnes, accordaient suffisamment de temps à leurs enfants. Roxie téléphona, elle ne dit rien et l'écouta pour changer. Tout allait bien, expliqua-t-elle. C'était le statu quo. Plein de choses à faire.

Elle regarda *Now* et *Voyager*, Felice sur les genoux. Elle mangea un yaourt et prit un bain.

Le samedi elle se remit au travail; rangea la télé dans un coin, finit le ménage, fit des achats, et s'installa au bureau. Cette histoire durait depuis trois semaines. Elle polit son cœur en or avec le pouce, et s'attaqua au manuscrit. Elle avança sérieusement. Dieu merci, le texte était propre.

Le téléphone sonna comme elle finissait d'annoter la dernière page d'un chapitre. Le réveil indiquait 4 h 54. Elle fixa le combiné avant de décrocher. « Allô ? dit-elle.

– Bonjour. »

Elle retira ses lunettes pour répondre : « Bonjour.

– Comment était Thanksgiving ?

– Plein de calories. Très agréable. Et toi ?

– J'ai menti. Je n'étais invité nulle part. J'ai eu peur que les choses n'aillent trop loin. Je le regrette à présent.

– Moi aussi, dit-elle en pivotant sur son fauteuil.

– Je t'aime, Kay.

– Oh ! Pete... » Elle ferma les yeux, inspira profondément. « Je t'aime *tant*, mon chéri...

– Tu m'as terriblement manqué. J'ai quelque chose à te dire, c'est trop grave pour le téléphone. Tu as déjà entendu cette phrase ?...

– Je prépare deux vodkas-tonic, répondit-elle avec un sourire.

– Non. Cette fois-ci je t'invite. Cela t'ennuie ?

– Horriblement. Tout de suite ?

– Dès que tu es prête.

– Un quart d'heure.

– Tu ne reconnaîtras pas l'appartement. Je l'ai nettoyé en ton honneur. »

7.

Quel que fût ce problème, ils arriveraient certainement à le surmonter. Puisqu'il était prêt à en parler. Sans doute cette maudite différence d'âge.

Elle se doucha et se fit belle – trente-cinq ans au plus. Elle mit un pantalon et des ballerines blanches, le chandail pêche, le cœur de Tiffany. Florence Leary Winthrop téléphona, hystérique, elle voulait à tout prix des idées ; il lui fallut cinq minutes pour repousser la discussion à lundi matin. Elle brancha le répondeur, remplit l'assiette de Felice et lui dit qu'elle la verrait plus tard.

Les ascenseurs se trouvaient au quinzième et au sixième et descendaient tous les deux ; elle prit l'escalier et s'élança dans une course en zigzag de demi-étage en demi-étage, à la lumière des néons des paliers numérotés. Ses chaussures effleuraient à peine le béton gris. Elle espérait qu'il s'agissait d'une question d'âge, et non de la sclérose en plaques, du cancer ou d'autre chose, dans cet immeuble porte-malheur.

Elle sortit sur le palier du treizième.

Il s'activait dans la cuisine, en jean et chemise à carreaux, la porte de l'appartement grande ouverte, sur fond de Beatles. Il se retourna avec son sourire éblouissant. « Deux vodkas-tonic », dit-il en s'essuyant les mains sur un torchon. « Mais je regrette, mademoiselle, je dois d'abord vous demander vos papiers... »

Ils s'embrassèrent jusqu'à la fin de *Hey Jude*, pendant le commentaire du disc-jockey et une partie d'*Eleanor Rigby*.

Elle entra dans le séjour en se peignant les cheveux avec les doigts. Le store était baissé, les tiges chromées se reflétaient sur le plafonnier. La pièce à la moquette coquille d'œuf avait un air stérile sans ses piles d'habits et d'objets divers. Presque au milieu, le divan de cuir, face à la télé et à la stéréo ; le bureau et l'ordinateur contre le mur de droite, la table et les chaises près du passe-plat – la seule note de couleur était les coussins jaune et orangé et les points rouges lumineux de la stéréo. Tout le reste, excepté le téléviseur noir, restait dans des teintes beige, blanc et chromé.

« *Formidable*, s'écria-t-elle. Tu as raison, je n'aurais pas reconnu l'endroit.

– J'ai enlevé une tonne de choses », dit-il en s'approchant du divan avec deux verres où tintaient des glaçons. « Brusquement j'ai une quantité de vaisselle. »

Elle regarda les titres des livres sur les rayonnages bas – des ouvrages techniques, parfois avec une jaquette Carnegie-Mellon. *The Worm in the Apple* s'y trouvait.

Les Beatles s'interrompirent quand il éteignit la stéréo.

Elle sourit et s'approcha de lui.

Ils s'assirent sur le canapé de cuir, genou contre genou. Ils trinquèrent en souriant et reposèrent leurs verres sur des blocs de lucite [1].

1. Résine synthétique (*N.d.T.*).

Il lui prit les deux mains, la regardant dans les yeux. « La première chose est que je t'aime », dit-il avant de déposer un baiser sur ses lèvres. « C'est pourquoi je te confie tout cela. Souviens-t'en, s'il te plaît. Tu vas être très en colère. Très. Alors, n'oublie pas, je te l'avoue parce que je t'aime. Tu m'as affirmé une fois que je pouvais te dire n'importe quoi. Je te prends au mot.

— Si tu as une femme et des enfants, répondit-elle, je te démolis immédiatement. Je ne plaisante pas.

— Non, non, protesta-t-il en secouant la tête. Non... » Il baissa les yeux.

« La seconde chose, reprit-il, est que je t'ai raconté un tas de mensonges. Pratiquement *que* des mensonges.

— Par exemple...

— Je ne m'occupe pas de programmes d'informatique. Professionnellement, s'entend. Je peux le faire — je m'y exerçais au lycée — mais tout ce que je t'ai dit sur Price Waterhouse et A.B.C. est faux.

— L'immeuble ne t'appartient pas.

— Si. C'est l'une des choses vraies. Et tout ce qui concerne ma famille, ma fortune... Kay, écoute... » Ses yeux bleus étincelaient, il lui étreignait les mains. « Imagine que je t'apprenne que je suis revendeur de drogue. C'est faux, mais essaie d'y croire une minute. Que dirais-tu ? Sincèrement. »

Elle le regarda.

« Réponds... Il s'agit seulement d'une hypothèse.

— Je te demanderais de renoncer immédiatement. C'est mal, c'est criminel, c'est fou. Remercie ton étoile de ne pas avoir été encore pris.

— Mettons que je renonce. Et ensuite ?

— Comment, et ensuite ?

— Que *ferais-tu* si j'*abandonnais* ?

— J'essaierais de t'aider à trouver une occupation légale. De comprendre, et de te pousser à analyser les raisons qui t'ont amené à commettre un acte aussi stupide et risqué. Et de t'empêcher de recommencer.

— Tu me dénoncerais ?

— Bien sûr que non. Ne sois pas stupide. N'oublie pas que je t'aime moi aussi. »

Il acquiesça, l'embrassant sur la bouche.

Elle se dégagea. « Pete, chéri, viens à l'essentiel. Je ne sais pas à quoi m'attendre.

— Nous y sommes. »

Il prit une télécommande, alluma la télé et le magnétoscope.

« Tu vas me le montrer par les images ?

— Exactement. »

L'écran de la télévision s'éclaira — une balle de golf roulant sur une pelouse verte. Elle plongea dans le trou, des applaudissements retentirent. L'écran redevint noir, un point rouge lumineux apparut sur le magnétoscope.

Elle prit son verre. « Je voudrais que tu... » Un séjour en noir et blanc, vu du dessus. Un homme allait et venait en rassemblant des papiers et des assiettes.

Elle reposa son verre.

Lui.

Dans cette pièce. Il enlevait des verres vides des blocs de lucite. Il leva le visage et lui sourit : « Bonjour, Kay », dit-il en l'embrassant.

Elle se tourna vers lui. Ses yeux bleus la fixaient. « Bonjour, Kay », répéta-t-il.

Elle regarda le plafonnier Arts déco au centre chromé.

« Je ne *saisis* pas.

— Il y a une caméra entre les deux étages », expliqua-t-il en appuyant sur la télécommande. L'écran redevint obscur. « Un fil de verre descend à l'intérieur du plafonnier. »

Elle plissa les yeux. « *Pourquoi ?* Tu travailles pour la C.I.A. ou le F.B.I. ?

– Non, mais ils utilisent le même matériel. Japonais, Takai, le meilleur du monde. Un ancien colonel de la C.I.A. m'a aidé à monter le système, m'a tout procuré...

– Le "système"? » demanda-t-elle interloquée.

Il hocha la tête. « Oui, Kay. *Tous* les plafonniers alimentent des caméras. Y compris les tiens. Je te regarde depuis le jour de ton arrivée. Je t'écoute. J'entends tes conversations téléphoniques. Des deux côtés. Les combinés sont équipés de micros. C'est pourquoi je me suis montré si *intuitif* et *sensible*. »

Elle ne le quittait pas des yeux.

« Je t'ai dit que tu te mettrais en colère. J'ai violé ton intimité et dans un sens c'est comme si je t'avais violée toi. Mais si je ne l'avais pas fait, où serions-nous à présent? Nous n'aurions jamais eu ces merveilleux moments... Est-ce que je ne te connais pas mieux que n'importe qui? Même si j'ai piraté quelques données...? »

Elle se taisait.

« Je voulais renoncer à cette relation, mais je ne peux pas. C'est trop important pour moi, je t'aime trop. Le fait de mentir tout le temps gâche tout, je ne peux rien partager avec toi... » Il haussa les épaules avec un sourire. « Donc... je suis entre tes mains à présent, parce que tu peux me dénoncer et me mettre dans de très sales draps. »

Elle ne répondait pas, elle détourna le regard et prit son verre d'une main tremblante.

Elle but une gorgée. Le glaçon tintait à l'intérieur.

Il posa la télécommande sans la quitter des yeux.

Elle avala la vodka, puis elle dit : « Tu observes tout le monde? »

Il acquiesça.

« *Guidé par la lumière? En quête du lendemain?* »

Les joues en feu, il hocha la tête avec un sourire. « Dieu, que tu es rapide. Il m'a fallu des années pour le comprendre. Bien sûr, c'est ainsi que cela a *commencé*, mais à présent je suis allé beaucoup plus loin. »

Elle secoua la tête. « Je ne comprends pas... » Elle considérait l'écran vide. « *Comment* ? Comment peux-tu... » Elle écarta les mains.

« Viens, je vais te montrer, dit-il en se levant. C'est à côté. » Il but encore une gorgée d'alcool.

« A côté ? » demanda-t-elle.

Il posa son verre, s'essuyant la bouche du revers de la main. « J'ai aussi le 13B. Les Johnson sont un mensonge de plus. » Il l'attendait.

Elle le regarda, puis se leva en prenant appui sur le dossier du canapé.

Elle le suivit hors de l'appartement.

A l'autre bout du palier.

Il ouvrit la porte du 13B toute grande. « Si tu penses que mon appartement était en désordre, tu vas voir à quoi ressemble celui-ci. »

La cuisine était la cuisine, à demi éclairée par la lumière du palier et une lueur verdâtre de l'autre côté du passe-plat.

L'entrée était vert pâle. Dans le séjour, une lampe avec un abat-jour vert était suspendue devant un monstre marin colossal qui s'étendait d'un mur à l'autre telle une série d'écailles gris-vert posées sur une plage ocre.

Plus d'une centaine d'écrans de télévision, d'innombrables rangées courbes, avec deux masters géants au milieu. Sur chaque écran brillait une lueur verte qui devint plus vive comme Kay s'approchait.

Il réglait l'intensité derrière elle.

Une multitude de boutons et d'interrupteurs sur la console coquille d'œuf.

Un fauteuil noir confortable.

Elle s'arrêta à un mètre du mur, parcourant des yeux la demi-douzaine de rangées d'écrans, les touches pâles au-dessus – 4A, 5A, 6A – et au milieu – 6B, 7B, 8B...

Il se dirigea vers la gauche de la console, posant la main sur son bord arrondi. « Trois par appartement, excepté celui-ci. Les caméras de surveillance aussi – l'entrée, les ascenseurs, etc. Cent trente en tout. Je peux les brancher sur l'un ou l'autre des masters. La distorsion est corrigée électroniquement; je ne remarque même pas les défauts qui restent. L'œil s'habitue très vite. »

Elle tourna la tête vers lui. « *Trois?* »

Il acquiesça. « Tous les plafonniers. »

Elle était abasourdie.

« Je sais, dit-il, c'est énorme. L'idée m'est venue quand j'avais dix ou onze ans. Et puis, quand je les ai regardés construire l'immeuble, quand j'ai compris que je pouvais réaliser ce rêve, je n'ai jamais envisagé d'*exclure* les salles de bains. C'est un lieu crucial. Et beaucoup de conversations passionnantes s'y déroulent. »

Elle inspira une bouffée d'air. « Tu dois te rendre compte qu'il s'agit d'une violation de l'intimité d'autrui... la plus *monstrueuse*, la plus *horrible* qui ait jamais été commise! Pas seulement contre *moi* » – elle se frappa la poitrine en se penchant vers lui – « bien que, mon Dieu, prétendre aimer quelqu'un et l'épier tout le temps... je ne peux même pas...

– Je t'aime, dit-il en s'approchant d'elle.

– Contre *tout le monde*! s'écria-t-elle. Comment peux-tu faire cela aux gens? C'est épouvantable! » Elle regarda les écrans. « *Mon Dieu...*

– Ils n'en *savent* rien.

– Cela n'a pas d'importance! cria-t-elle.

– Si. Cela t'a-t-il blessée que je te regarde?

113

– Cela me blesse *maintenant*!

– Parce que tu *sais* à présent! Écoute... » Il la prit par les épaules. « Ne discutons pas de ça, je savais que tu réagirais de cette façon, je vais arrêter. » Il la serra contre lui. « Si je dois choisir entre toi et mes écrans, je te choisis toi. Je *renonce*. Terminé. »

Ils se regardèrent.

« Tu ferais mieux, dit-elle. Tu dois enfreindre une douzaine de lois. Et tu seras poursuivi jusqu'au bout si les autres locataires s'en aperçoivent, il ne te restera plus un cent de ton immense fortune.

– C'est pourquoi je parlais de sales draps, dit-il avec un soupir. Je suis désolé de t'avoir fait de la peine. Je ne t'ai jamais vue faire un geste laid, ou prononcer une bêtise.

– Tu as vu Hubert Sheer tomber.

– Non. Je ne l'ai pas vu après non plus. On ne voit pas dans la douche, l'angle est mauvais. Il y a un reflet sur la porte et tout ce noir n'aide pas beaucoup. Regarde. » Il la lâcha et se pencha par-dessus le dossier du fauteuil. « Non », dit-elle.

Avant d'atteindre la console, il lui jeta un coup d'œil, effleurant l'abat-jour de la tête. « *Ma* salle de bains, dit-il, pas la sienne.

– Je te crois sur parole. »

Il se tourna face à elle. « Je l'ai à peine regardé. » Les lueurs vertes bougeaient sur les écrans. « Il lisait tout le temps. J'ai cru qu'il était parti faire le voyage dont il parlait et avait oublié la lumière par erreur. Cela arrive. » Il respira profondément. « La seule mort à laquelle j'ai assisté a été celle de Billy Webber quand il est mort d'une overdose. Il y avait deux filles avec lui, c'est pourquoi je regardais, et elles ont appelé l'ambulance dès les premières convulsions. Je n'étais pas là quand Brendan Connahay et Naomi Singer sont morts, et il n'y a pas de caméra à l'endroit où Rafael, le prédécesseur de Dmitri, a eu son accident.

– Tu observes aussi Sam ? demanda-t-elle.

– Oui. Il ne le sait pas. Écoute, j'ai fait beaucoup de bien ici, et pas seulement pour lui. J'aide les gens à s'en sortir financièrement et sur d'autres plans, par l'intermédiaire de la fondation ou en envoyant du liquide par la poste. Des *familles* entières. La nièce de Maggie Hoffman avait besoin d'une greffe du foie à Shreveport. La mère est une femme formidable, elle a un cran fou et élève seule son enfant. J'ai envoyé l'argent il y a deux semaines. J'ai aussi aidé les Kestenbaum, qui habitaient dans ton appartement. »

Elle secoua la tête. « C'est mal, dit-elle. Très mal.

– Je vais donc arrêter », répondit-il. Il lui prit la taille avec les deux mains et lui sourit. « Maman dit non et je suis un bon garçon, hein ? » Il lui embrassa la joue. « Je ne peux pas jeter mon matériel, poursuivit-il, ce serait un peu compliqué d'expliquer d'où il vient, mais nous ferons venir un serrurier et tu garderas les nouvelles clés. Il y a aussi une porte au fond du placard ; je le précise pour te prouver ma bonne foi ; jamais tu ne t'en serais aperçue. Tu peux y faire poser un cadenas à combinaison... Voilà. je m'occuperai de mes programmes, je finirai peut-être mes études... »

Elle ne le quittait pas des yeux.

« C'est pire que de revendre de la drogue ? demanda-t-il.

– Tu parles sérieusement ?

– A propos des serrures ? Absolument. Je te l'ai dit, je te choisis *toi.* »

Ils s'étreignirent très fort.

Elle poussa un soupir et secoua la tête, regardant les écrans par-dessus son épaule. « Le Dr. Palme *aussi* ?

– Oui. Tu vois pourquoi je devais mentir sans arrêt ?

– Mon Dieu... C'est vraiment horrible, d'épier les gens pendant leur thérapie...

– Ils *ne le savent pas* », protesta-t-il.

Elle s'écarta pour le dévisager. « C'est ce que tu *fais* depuis trois ans ?

– Il n'y a rien de plus fascinant, Kay. C'est tragique, c'est drôle, déchirant, excitant, captivant, instinctif... »

Elle lui effleura la joue, secouant encore la tête. « Des feuilletons en direct...

– Non, la *vraie vie*. Le feuilleton que Dieu regarde. Une tranche du feuilleton universel. Ni actrices, ni acteurs, ni réalisateurs. Pas d'écrivains ni de directeurs littéraires. Pas de pages de publicité. Tout est vrai, au lieu d'être une interprétation de la vérité – comme les *livres* que tu as lus. »

Elle se dégagea de son étreinte. « Salaud, tu essaies de m'accrocher...

– Une heure seulement... », proposa-t-il en tendant la main. Elle le repoussa et se dirigea vers l'entrée. « Demain le serrurier.

– *Demain* ? répéta-t-il en la suivant.

– Demain. » Elle ouvrit la porte. « Ils travaillent le dimanche. » Elle était sur le palier. « Mon Dieu... »

Elle se regarda dans la glace, arrangea ses cheveux. Il verrouilla la porte, vérifia qu'elle était bien fermée.

« Tu es trop, dit-elle. Monsieur Open, Monsieur Je-suis-entre-tes-mains... avec sa machine à espionner. Quand je pense aux *conversations* que tu as écoutées, sans parler de ces fichues *salles de bains*...

– Je me suis excusé. Tu veux que je me mette à plat ventre. J'ai quelque chose de formidable à te montrer.

– C'est fait », dit-elle en rajustant le col de son chandail. « Mon Dieu, tu as dû dépenser une *fortune* pour tout ça !

– En comptant les pots-de-vin, et sans le prix de l'immeuble, un peu plus de six millions de dollars. »

Elle le regarda dans la glace. « C'est un vrai péché.

– A présent, l'immeuble vaut plus de dix millions de dollars, je suis gagnant.

– C'est encore pire. Mais cela me donne bonne conscience de tout fermer à clé. » Elle appuya sur le bouton de l'ascenseur. « Je ne veux pas que tu me regardes ce soir.

– Entendu, dit-il en levant la main droite.

– Ni personne d'autre.

– Allons... Le dernier soir ? Un *samedi* soir ? »

Ils se regardèrent.

« En réfléchissant bien, je ferais mieux de *te* surveiller. Va éteindre les lumières. Tu dors chez moi. »

Il se dirigea vers le 13A en souriant.

« Ne prends pas cet air fanfaron. Je suis furieuse contre toi. »

« Juridiquement je suis inattaquable », dit-il blotti contre son dos, la joue dans ses cheveux, les mains refermées sur ses seins. « Il n'y a encore aucune loi dans ce domaine. Surtout quand la caméra se trouve en dehors de l'emplacement loué, ce qui est le cas. Je suis bien informé sur les atteintes à la vie privée, le couple du 10B fait partie de l'ACLU [1].

– Jésus Marie, tu espionnes l'ACLU ?

– C'est pour cette raison que je les ai acceptés. J'ai pensé qu'ils me tiendraient au courant. En réalité ce sont des avocats d'un genre assez surprenant.

– Bonne nuit, Pete.

– Bonne nuit, Kay. » Il baisa sa nuque, caressa ses seins.

Serrés l'un contre l'autre, ils se turent.

« Incidemment, dit-il, c'est le troisième immeuble équipé par le colonel. Il a aussi installé un hôtel.

– A New York ?

1. American Civil Liberties Union : équivalent de la Ligue des droits de l'homme (*N.d.T.*).

– Il n'a pas voulu en parler.

– Je suis heureuse qu'il ait un tel sens éthique.

– Il a seulement dit que le système de l'hôtel était entièrement informatisé. Il ne montre que les chambres où il y a du mouvement. Il est même capable de distinguer le nombre de personnes. Ici c'est du menu fretin.

– Du fretin immoral. »

Il y eut un silence.

« Allons, insista-t-il. Une demi-heure, et ensuite nous ferons venir le serrurier. Pas de salles de bains. Ni Sam, si cela te pose un problème.

– Bonne *nuit*, Peter.

– Ce n'est pas le simple fait de regarder, reprit-il. Mais d'associer différentes choses, par exemple le son d'un appartement et l'image d'un autre. On obtient toutes sortes de... contrastes et d'harmonies. Parfois c'est comme de jouer sur un orgue. Un orgue humain.

– Veux-tu te taire et dormir ?

– Bonne nuit », dit-il en l'embrassant sur la joue.

Un choc ébranla le plafond.

« Mon Dieu, s'écria-t-elle, qu'est-ce qu'ils *fabriquent* donc ?

– Cela ne te regarde pas...

– Oh ! va te faire foutre... »

Il déposa un baiser sur sa nuque.

8.

« Une demi-heure », dit-elle.

Il ouvrit le 13B, alluma la lampe de l'entrée. « J'espère qu'il y a quelque chose de bien », répondit-il en lui tenant la porte. « Sans doute seulement quelques supporters des Jets [1].

— Je croyais que c'était fascinant du matin au soir, remarqua-t-elle.

— Les dimanches après-midi où il fait beau ne sont pas le meilleur moment. Et n'oublie pas, c'est le week-end de Thanksgiving. Beaucoup de gens sont retournés dans leur famille. »

Elle resta à la limite de l'obscurité, cherchant à tâtons l'interrupteur. Elle régla l'intensité au maximum, et la lampe à abat-jour vert éclaira la console sable, les écrans gris.

« Je vais te chercher un siège... »

Elle parcourut des yeux la muraille d'écrans où brillait une lueur verte, six rangées qui atteignaient

1. Équipe de football à New York (N.d.T.).

presque le plafond, avec les masters géants au centre; des chiffres pâles en haut et au milieu – de 1 à 11 sur la gauche, de 12 à 21 sur la droite, les A en haut, les B en bas.

Elle s'approcha, les mains dans les poches.

Debout derrière le fauteuil noir, elle considéra les régiments d'interrupteurs et de boutons, assortis d'étiquettes en plastique, qui correspondaient aux écrans. Au centre, des manettes et des interrupteurs plus gros; plus loin, encastrés dans du stratifié sable, deux magnétoscopes.

Une horloge horizontale – des chiffres bleus, 12 h 55 – un téléphone, un bloc fixé sur une tablette. Une coupe de bonbons de toutes les couleurs.

La porte se referma.

Elle regarda son reflet nacré sur les masters 1 et 2; il apportait une haute chaise blanche en cuir. « Tu m'as enregistrée? » demanda-t-elle en se retournant.

Il posa le siège et la regarda en se tenant au dossier. « Oui, répondit-il. Le soir de ton emménagement, dans la baignoire, mais c'est si sombre qu'on ne voit rien. Et nous deux, la première nuit.

– Je ne peux pas y croire, dit-elle en détournant les yeux.

– J'ai branché le magnétoscope quand je suis venu chercher le champagne. » Il sourit. « A tout hasard. Pour ne pas manquer un événement majeur. Ne m'oblige pas à l'effacer; il n'y a aucun risque, et pense à plus tard, quand nous serons vieux... Nous sommes probablement le seul couple au monde à posséder la cassette de sa première nuit.

– Je n'en doute pas », répliqua-t-elle en s'asseyant.

Il orienta sa chaise vers les écrans et se pencha pour lui baiser les cheveux.

Il alla baisser la lumière de la lampe à abat-jour vert. « J'ai du soda et des biscuits, dit-il. Tu veux quelque chose? »

Elle secoua la tête en baissant les yeux; elle frottait le dos de sa main.

Il s'installa à sa place, fit rouler son fauteuil jusqu'à la console. Appuya sur un interrupteur; un bourdonnement résonna au fond de l'appartement.

Elle était assise très droite sur sa chaise, les jambes et les bras croisés.

« Il y en a pour une seconde. Je coupe les salles de bains et l'appartement de Sam. »

Elle suivit des yeux l'ombre de sa main, qui baissait toutes les manettes placées de son côté. « Qu'est-ce que c'est que ce ronronnement? demanda-t-elle.

– L'électricité. » Il coupa une seconde rangée d'interrupteurs. « Il a fallu baisser et convertir le voltage, du courant alternatif en courant continu. Si j'avais un transformateur par écran il y aurait beaucoup trop de bruit ici, il ferait trop chaud. Alors j'en ai un seul, branché directement sur le secteur. » Il appuya sur les interrupteurs de droite. « Je vais fermer la porte si cela te dérange.

– Non, ça ne fait rien, dit-elle. Ce serait formidable si tu consacrais tous ces efforts et cette énergie à une occupation valable.

– Donne-moi du temps, la supplia-t-il. J'ai d'autres projets en tête. Bon... » Il se plaça face aux écrans, s'écriant : « Bienvenue dans l'âge d'or *réel* de la télévision... »

Les écrans bleutés s'éclairèrent. La troisième rangée resta obscure ainsi que celle du bas, excepté les écrans situés juste sous les masters géants – l'entrée de l'immeuble, le local à boîtes aux lettres, les ascenseurs. « Vérifions ce que fait Felice », dit-il en effleurant d'autres boutons. Différentes vues de son séjour et de sa chambre apparurent sur l'écran.

« Mon Dieu », dit-elle.

Elle considéra ses meubles, ses tapis, les feuilles du

Times éparpillées dans la pièce, ses livres, ses plantes, ses objets décoratifs.

« Tu vas t'habituer à la perspective. Ah, la voici. Salut Felice. »

La chatte longea le lit sur l'écran de droite, dans un bruissement de papier journal. Elle alla jusqu'à la fenêtre, en haut de l'écran, et sauta sur le rebord. Elle s'allongea au soleil, leva une patte arrière pour se lécher.

Kay sourit dans la lumière bleutée.

« Oh! merde, j'ai oublié. Nous aurions dû attendre trois heures. Ruby a une séance, ça va être intéressant. Ruby Clupeida, celle du parfum. » Il appuya sur un bouton devant elle. « Elle s'occupe de spiritisme. » Sur l'écran de gauche Giorgio, en caftan noir, approcha une chaise de la table ronde. « Il y a un médium qui la vole depuis des mois. Je l'ai vu compter ses billets dans la salle de bains. Elle a fini par le soupçonner et a convoqué un expert. Il va prétendre qu'il est l'associé de son père, qui est mort et *communique* avec lui.

– Quels beaux meubles, dit-elle. XVIIe

– Héritage de famille. Sa mère la poursuit pour les récupérer. Elle prétend que Ruby les a pris sans sa permission.

– J'imagine qu'elle n'est pas un travesti.

– Non. » Il eut un sourire, tout en surveillant les moniteurs. « C'était drôle que tu le dises, tu venais juste de m'interroger sur Vida, qui l'est plus ou moins.

– *Quoi?*

– C'est un transsexuel avant opération. Il a subi les traitements hormonaux mais s'est ravisé au dernier moment. Il se dispute avec son amant depuis plus d'un an à ce sujet. Et tu ne devineras jamais... oh! super, Jay et Lisa sont là. » Il appuya sur les manettes. « Les Fisher, 4A. Elle a une liaison avec son patron et sa sœur a tout raconté à son mari la semaine dernière. Elle nie. » Dans un séjour très moderne sur l'écran de droite, une jolie jeune femme brune qu'elle avait vue dans l'ascenseur regardait par la fenêtre. Un homme en pyjama était accroupi devant la télé. « Il fait beau dehors, dit Lisa Fisher.

– Va te promener, répondit Jay Fisher. Appelle Ben, ça m'est égal.

– Tu ne vas pas recommencer... », s'écria-t-elle.

Sur l'écran de gauche, l'homme à barbiche du douzième s'assit à son bureau dans un séjour à moitié meublé. Il décrocha le téléphone. « David Hoenenkamp », dit Pete pendant que les Fisher se disputaient. « Un ancien prêtre qui s'occupe de publicité. Il a sa petite agence, il réussit bien. Il est séparé de la femme pour laquelle il a quitté l'Église. »

Ils écoutèrent M. Hoenenkamp expliquer à un client pourquoi il annulait le contrat.

Les Fisher se disputaient.

« La clarté est fantastique, n'est-ce pas ? » dit-il en lui offrant des bonbons.

Elle hocha la tête.

« Takai. Le matériel japonais, le plus moderne du monde. » Il reposa la coupe sur l'horloge qui indiquait 13 h 7, et se servit.

Ils regardèrent les Sweringen sur le 1, les Fisher sur le 2. Il changeait le son de façon à suivre les deux conversations.

« Je t'assure que ce n'est pas une question d'argent », dit Stefan sur le 1, en allant dans la cuisine. « Mais cela prend un temps fou. Il faut des heures pour trouver les pièces.

– Hé! quelle heure est-il ? » demanda-t-elle.

Il souleva la coupe : 15 h 2. « Mon Dieu », dit-elle.

Il coupa le son, pivota sur son fauteuil.

Ils se regardèrent.

« Et ce n'était *rien*, Kay. Presque personne n'est là. Pas de Dr. Palme. Pas de sexe !...

– Je ne m'attendais pas à m'ennuyer, dit-elle.

– Il faudrait que tu reviennes dans quelques heures, quand tout le monde sera rentré. »

Elle se pencha vers lui pour lui prendre la main. « Petey, c'est *mal*, répondit-elle, même si c'est passionnant, *émouvant*. Et tu *sais* que tu risques de gros ennuis si quelqu'un s'en aperçoit. Cela peut détruire toute ta vie. *Notre* vie... »

Ils se regardèrent.

« Il faut que tu renonces à tout cela, reprit-elle. Pas seulement pour *nous*. Pour toi.

– J'imagine... », soupira-t-il.

Elle lâcha sa main.

Il pivota sur son fauteuil, ouvrit les pages jaunes sur ses genoux.

Elle le surveillait.

Il feuilleta l'annuaire à la lumière bleutée des écrans, trouva la rubrique serrurerie. « Oh ! quelle liste ! s'écria-t-il.

– Comment vas-tu te débrouiller ? Terry va laisser entrer un serrurier en l'absence des Johnson ? »

Il se tut.

« Et si tu fais venir quelqu'un au 13A, il acceptera de te suivre ici ?

– Je n'y ai pas pensé...

– Tu n'es qu'un menteur !... »

Il leva la main droite. « Kay, je te jure que non. Je voulais surtout que tu regardes un moment avec moi... Écoute, cela ne *change* rien. Nous devons seulement bloquer cette porte pour qu'on ne puisse pas l'ouvrir du dehors, clouer un morceau de bois sur le sol, et le verrou à l'intérieur du placard. Le résultat sera le même. » Il lui sourit. « Nous jouerons aux devinettes, j'essaierai de te faire avouer le chiffre de la combinaison. Si je réussis, tu changeras le cadenas. »

Elle réfléchit un moment, puis secoua la tête. « Non. J'ai changé d'avis. Je ne vais pas jouer à la maman-qui-prend-soin-de-toi-tout-le-temps. Ce n'est pas le genre de relation qui m'intéresse. Tu es un adulte, Pete. Tu dois assumer la responsabilité de tes actes. Tu sais ce que je pense de tout cela. Si tu tiens à continuer de me voir, tu devras fermer toi-même cet appartement.

– La loi de l'honneur ?

– Oui. »

Il hocha la tête, referma l'annuaire, puis le rangea sur la console. « Tu as raison, bien sûr. » Il pivota sur son fauteuil en lui souriant. « Tu vas former mon caractère... » Il se pencha pour lui baiser les mains, puis la regarda, le bleu des yeux plus foncé par contraste. « Entendu. Je vais songer à mes autres projets. Je viens d'en mettre un sur pied. Je suis très impliqué dans certaines affaires... je m'intéresse beaucoup à deux des patients du Dr. Palme, aux femmes du 11B, aux Ostrow qui habitent au-dessus de chez toi... aussi je ne peux pas jurer que je renonce à tout, mais je vais réduire au maximum et je finirai bien par abandonner. Je te le promets.

– Je l'espère, Pete. Sincèrement. »

Ils s'embrassèrent.

« Je ne te regarderai plus jamais », dit-il en dégageant sa main. Il appuya sur une série d'interrupteurs. Les moniteurs du 20B s'assombrirent, – les avant-derniers des rangées du bas à droite. « Toi et Sam, dit-il avec un sourire. Vous êtes symétriques. »

Elle regarda vers la gauche, remarquant au passage qu'il y avait du mouvement dans le 8B.

« C'est le médium », expliqua-t-il en appuyant sur les boutons.

Main dans la main, ils regardèrent les masters. Ruby et une autre femme firent entrer un homme en costume noir dans le séjour. Jay enfila un pardessus en criant après Lisa qui parlait au téléphone en se bouchant une oreille.

« Mets le son, dit Kay. Juste pour une minute. »

Lundi à la première heure elle appela le service du contentieux. Wayne était là. Elle demanda des nouvelles de Sandy et des enfants. Tout allait bien. « J'ai besoin de renseignements sur les lois concernant la violation de la vie privée, dit-elle. Il s'agit d'une situation où quelqu'un cache une caméra dans un appartement qu'il loue à New York avec un bail régulier.

— Le locataire n'étant pas au courant...

— Non. Le téléphone est aussi sur écoute. J'ai un manuscrit fondé sur cette idée, et d'après l'auteur il n'existe aucune loi dans ce domaine. Je voudrais savoir s'il a raison, et dans quelle mesure...

— Je ne peux pas te le dire à première vue, ce n'est pas mon secteur, mais je vais te chercher cela tout de suite. Je *peux* te dire qu'une écoute téléphonique sauvage est un crime fédéral.

— Je m'en doutais.

— Probablement aussi un crime d'État. Je te rappelle dès que je sais quelque chose sur les caméras. Cela ne devrait pas prendre longtemps.

— Elle est placée en dehors de l'appartement. L'auteur affirme que c'est un facteur important. Un fil de verre descend dans le plafonnier.

— C'est une surveillance à but professionnel ?

— Non. C'est juste pour regarder.

– Aha...! Et l'héroïne emménage.

– Tu es très fort... », dit-elle.

Elle demanda à Sara d'appeler Florence Winthrop et de bloquer tous les coups de téléphone, sauf celui de Wayne.

Une demi-heure plus tard elle mit Florence en attente. « Wayne?

– Oui. Ton auteur a raison. Il n'existe aucune loi pénale fédérale ou d'État contre la surveillance électronique visuelle. Le propriétaire risque d'être l'objet d'une poursuite civile si le locataire le découvre, mais en dehors d'une peine de cinq ans pour écoute téléphonique illicite, il n'aura qu'une condamnation très légère pour voyeurisme, crime régi par une loi d'État. Et même cela reste discutable.

– Je suis surprise, dit-elle.

– Moi aussi. Peut-être une législation est-elle en préparation. L'ACLU serait la mieux placée pour te renseigner. »

Elle le remercia et pria Florence de l'excuser.

« Je te l'avais dit », s'écria Pete ce soir-là. Il souriait. « Mes deux avocats sont très bien informés et ils n'arrêtent pas de jacasser.

– Tu risques cinq ans pour les micros, dit-elle.

– Je le sais. »

Ils se trouvaient dans un petit restaurant de la 92e Rue, *Table d'Hôte*. Une seule des huit tables anciennes était encore inoccupée; le vacarme des conversations et les bruits de vaisselle les assourdissaient. Assis genou contre genou, ils buvaient du vin blanc en beurrant du pain de seigle.

« Je ne peux pas supprimer les micros *à présent*, dit-il, il faudrait défoncer le plafond du sous-sol. Mais personne ne s'en apercevra. Et je vais laisser tomber. Sincèrement. Je n'ai pas regardé aujourd'hui, bien sûr les lundis ne sont pas très intéressants. Pendant la journée. Le soir, tout le monde est à la maison.

— Qu'est-ce que tu as fait? demanda-t-elle.

— J'ai travaillé à mon programme. Je te le dis tout de suite, je préfère ne pas en parler tant que certains détails ne sont pas réglés. Je sais que tu comprendras.

— Bien sûr. Ce n'était pas un test. Juste de la curiosité. Ce doit être difficile de résister. Je n'ai pas arrêté d'y penser, c'est fascinant.

— Parce que c'est réel. C'est toute la différence entre un carambolage au cinéma et un accident de voiture dans la rue.

— Et on ne sait jamais ce qui va se passer ensuite.

— Oui, c'est le plus excitant. La totale imprévisibilité, et la variété. »

Elle soupira et but une gorgée de vin. « J'aimerais tant que ce ne soit pas aussi mal...

— On *considère* que ça l'est, mais personne n'est blessé et je parie que tout le monde aimerait y jeter un coup d'œil de temps en temps.

— Terminé, dit-elle.

— Je sais. J'ai résisté toute la journée, et l'un des patients les plus intéressants du Dr. Palme vient le lundi. »

Le serveur déposa devant eux des assiettes victoriennes admirablement garnies — de l'espadon grillé, du saumon poché.

Délicieux. Ils échangèrent des bouchées.

Il lui parla de certains des patients du Dr. Palme.

Le grand couple du dix-septième étage entra dans le restaurant; un des garçons les accueillit et leur indiqua la table inoccupée, un peu plus loin.

« Les Cole, du 17A, murmura-t-il. Les pervers de l'immeuble.

— Je croyais que c'était nous...

— *Nous*? Sûrement pas, nous sommes en cinquième position.

— Et nous progressons. »

Sur le chemin de retour ils s'arrêtèrent à l'épicerie coréenne décorée de bacs à fleurs, achetèrent du jus d'orange et des pommes pour elle, du lait, du raisin et du café pour lui. Il glissa de la monnaie dans la tasse en carton du clochard sur le trottoir.

Ils traversèrent la 92ᵉ Rue, attendirent le changement de feu. Ils levèrent les yeux vers le gratte-ciel aux lumières roses et la double rangée de fenêtres qui scintillaient jusqu'au toit. « C'est étrange, dit-elle en lui étreignant le bras, de connaître les gens qui habitent là...

— Je croyais que c'était comme ça dans ton village, répondit-il.

— Bien sûr, tu as tout à fait raison... »

Ils se sourirent et s'embrassèrent, puis franchirent l'avenue.

Walt, dans son uniforme d'hiver bordeaux, ouvrit la porte en les voyant approcher.

« Bonjour, Walt...

— Miss Norris, Mr. Henderson... »

En traversant l'entrée il lui chuchota à l'oreille : « Il a une liaison avec Denise Smith, du 5B.

— *Ah bon?*

— Il gagne un tas de fric. » Pete effleura le bouton d'appel ; ils regardèrent le portier qui ouvrait la portière d'un taxi. « C'est sa voix qui les séduit. Il faisait partie du chœur du City Opera. L'année dernière il a eu une aventure avec Ruby mais il a rompu. Elle l'obligeait à promener Ginger tout le temps. »

Le couple noir/blanc arriva avec des cadeaux de Noël dans des sacs de Lord & Taylor. Tout le monde se salua aimablement.

« C'est la saison, dit Pete.

— Oui », répondit l'homme.

L'ascenseur nᵒ 1 s'ouvrit.

Ils montèrent en silence.

Quand la porte se fut refermée au septième, Pete observa : « Bill et Caroll Wagnall. *Très* intéressants.

– Je n'en doute pas. »

Ils s'arrêtèrent au treizième pour déposer ses provisions.

« Juste un moment ? proposa-t-il.

– Pete, tu sais ce qui va arriver... »

Ils se regardèrent.

« *J'aimerais* certainement...

– Ils ne le *savent* pas », insista-t-il.

Elle secoua la tête. « Mon dieu...

– Allons. Nous déciderons d'un temps donné et nous nous y tiendrons. J'ai dit que j'allais me désintoxiquer, tu t'en souviens ? Juste une petite heure. Je t'en prie. Nous mettrons le réveil. »

Elle soupira. « D'accord. N'*oublie* pas. Une heure, pas plus. »

Ils mirent le réveil.

Ils firent une séance d'enfer au Vertical Club, côte à côte devant les pupitres à biceps. Ils nagèrent longuement dans la piscine.

Ils allèrent voir un succès d'Off Broadway avec Roxie et Fletcher. Cela plut beaucoup à leurs amis, mais ils s'ennuyèrent. Roxie les invita à boire un verre ; ils déclinèrent.

Un enfant de cinq ans aurait compris cela. Il suffisait d'appuyer sur le bouton 10A du haut, puis le bouton 1 au centre – aussitôt le séjour du 10A apparaissait sur le 1. Anne Stangerson se bouchait les oreilles, refusant d'écouter une vieille femme qui lisait une feuille de papier – sa mère, qui affirmait son droit de mourir dans la dignité.

Ils regardèrent quelques minutes, tandis que sur le

2 les Gruen, tout nus dans leur chambre à coucher avec un bloc et une calculette, cherchaient le meilleur moment pour mettre Daisy enceinte.

Elle se chargea des moniteurs de gauche et du masters n° 1, il garda les moniteurs de droite et le 2. Ils trouvèrent des contrastes, des harmonies.

Ils jouèrent des duos sur l'orgue humain.

Appuyée contre la fenêtre de son bureau, les bras croisés, elle contemplait le ruban brillant de voitures sous la pluie, tout en bas. Elle poussa un soupir et regarda devant elle. Dans l'immeuble d'en face une femme détourna les yeux. « Kay, dit Sara, quelque chose vous tourmente ?

– Rien de spécial, répondit-elle. Les sans-abri, les crimes causés par la drogue, la dette nationale... »

Un jour où elle travaillait à la maison elle descendit jeter un coup d'œil au Dr. Palme. Il y avait deux fauteuils noirs devant la console.

« Maintenant nous partageons », dit Pete.

Ils observèrent le Dr. Palme et Nina.

Et Dick.

Et Joanna.

Diadem avait retenu une table au dîner dansant organisé en l'honneur de l'Association américaine pour l'alphabétisation, dans le Celeste Bartos Forum de la bibliothèque de la 42e Rue. Dans le taxi qui descendait la Cinquième Avenue, vêtue de fausse fourrure et de velours bordeaux perlé, elle dit : « Prépare-toi à des regards et à des remarques désagréables. J'ai déjà vu cela. Les hommes plus vieux deviennent méchants, surtout quand la femme n'est pas déformée. C'est une réaction animale, comme les cerfs qui attaquent avec leurs bois.

– Arrête de t'inquiéter! On voit partout des femmes mûres avec des jeunes gens. Regarde Babette et Allan.

– Ils n'ont que cinq ans de différence!

– Détends-toi! Tout le monde va être très gentil. Je te parie un massage. »

Elle se tourna vers la fenêtre. « Entendu... »

La circulation ralentit... l'arbre illuminé de Rockefeller Center.

Un spectacle saisissant : le feu d'artifice au bout de la plaza, les guirlandes d'anges vaporeux qui dressaient leurs trompettes dorées...

Dans l'entrée du forum, elle le prit par la main. « Allons-y », et le conduisit vers un couple à cheveux gris au bout d'une queue de vestiaire. « Bonjour! dit-elle. Voici Pete Henderson! Pete, June del Vecchio, Norman del Vecchio.

– Bonjour! » s'écria June en serrant la main de Pete avec un sourire.

Norman l'imita.

« Je suis ravi de vous rencontrer, leur dit le jeune homme. Kay m'a dit que vous êtes des membres actifs de Civitas. Mon père l'était aussi; je me demande si vous l'avez connu. John Henderson?

– U.S. Steel? demanda Norman.

– Oui.

– *Effectivement*, nous le connaissions.

– Quel charmeur c'était! s'écria June. Vous avez ses yeux et son sourire!

– Et quel homme d'affaires! Il a obtenu de l'argent des entrepreneurs contre lesquels nous nous battions!

– Fais attention, Kay, intervint June. Pete est peut-être de la même trempe...

– Merci du conseil, répondit-elle avec un sourire.

– Dans quel domaine êtes-vous, Peter? demanda Norman.

– J'ai fait de la programmation d'ordinateurs. Maintenant je suis entre deux.

– Vous pourriez peut-être jeter un coup d'œil à notre système de facturation; Dieu sait s'il a besoin d'être remis à jour. Jim, viens dire bonjour à Peter Henderson, le fils d'un vieil ami... »

Il y eut d'abord des cocktails dans Astor Hall. Tout le monde se montra très gentil.

Stuart avait reçu le texte de Sam et la remercia. « J'ai une passion pour ce genre d'histoire. Il vient me voir la semaine prochaine. Si on s'entend bien, je vais lui proposer une petite avance.

– Oh ! formidable ! s'écria-t-elle.

– C'est très bien, ajouta Pete.

– Vous le connaissez aussi, Pete ? demanda Stuart.

– On se dit bonjour dans l'ascenseur. Nous habitons tous dans le même immeuble. »

Wendy demanda en souriant : « Seriez-vous par hasard le mystérieux propriétaire ?

– Non, répondit-il en lançant un regard à Kay, nous n'avons pas encore découvert qui c'est. Les candidats en tête sont deux avocats. »

La coupole de verre du forum – garnie d'acier, bordée de lampes, véhicule spatial sorti tout droit d'H.G. Wells – était éclairée par le haut, d'une teinte rose virant au violet. Les tables, de la même couleur, ornées de linge blanc et or, avec des bouquets mauves et des bougies roses. Un petit orchestre de quatre musiciens jouait du Sondheim et du Porter.

A la table de Diadem, la conversation porta sur la circulation et l'infrastructure croulante de la ville, les stratégies japonaises d'investissement, la nourriture diététique, le droit de mourir dans la dignité.

Après la pintade, Norman dit : « Kay ? » Elle sourit à Pete tout en suivant son ami sur la piste de danse. Ils saluèrent quelques personnes et s'élancèrent au son de *Let's Do It*.

« Il a une sensibilité étonnante, observa Norman. Il est aussi bien informé.

— N'est-ce pas?

— J'espère qu'il est émotionnellement plus stable que son père. Marié quatre fois, je crois. Toujours des actrices. Je me demande si... »

Il se tut, d'autres couples dansaient près d'eux.

« Quoi? dit-elle.

— L'une d'elles est morte dans une chute. Elle a glissé dans l'escalier de leur duplex. J'ignore s'il s'agissait de la mère de Pete.

— Oui. Thea Marshall.

— Un escalier tournant en marbre, d'après la légende.

— La légende? » Elle sourit à Pete qui lui lançait un clin d'œil par-dessus les boucles grises de June.

Norman salua une connaissance. « Oh, reprit-il, des ragots de l'époque... il y a environ douze ou treize ans... L'accident s'est produit au milieu d'une réception. Elle avait des valises, c'est pourquoi elle a perdu l'équilibre. Elle se dépêchait pour prendre un avion — elle partait chez elle pour Noël, une décision de dernière minute. C'est ce que Henderson a raconté ensuite. Elle était originaire du Canada. Une de ses valises s'est ouverte en tombant sur le sol et quelqu'un a vu des maillots de bain et des robes d'été.

— Nous pourrions peut-être faire l'échange? » proposa Pete qui s'approchait avec June souriante à son bras.

« Oh! bien entendu, répondit Norman en lâchant Kay. Cela me paraît tout à fait équitable. » Pete l'enlaça avec un sourire. « Quelle galanterie ce soir », observa June comme son mari l'entraînait dans la foule.

« Qu'est-ce que c'est que cette histoire de maillots de bain et de robes d'été? » demanda Pete en l'attirant vers lui. Elle le regarda – si beau avec sa cravate noire et ses yeux bleus. « C'est ce que j'ai entendu...

– Je ne sais pas, dit-elle. Je n'écoutais pas. »

Il la serra contre lui, pressa sa joue contre la sienne, chuchotant : « Qui a gagné son pari ? »

Ils dansèrent au soin de *Easy to Love*, sous la coupole de verre éclairée de rouge et de violet.

9

Elle avait imaginé la scène dans un contexte de travail mais elle s'était produite, détail terrible, dans l'appartement, peut-être sous ses yeux – avant Noël, pendant une réception.

Elle y repensa en regardant Lisa qui faisait sa valise sur le 1 et la pauvre Maggie qui vidait la sienne sur le 2. Pete était au 13A, il attendait pour payer le livreur de Jolly Chan qui montait dans l'ascenseur n° 1 en compagnie de Phil et des McAuliff.

Les maillots de bain et les robes d'été, s'ils avaient vraiment existé dans l'histoire, évoquaient un voyage en Californie.

Et Sam.

Probablement John Henderson avait-il poussé sa femme dans l'escalier.

Elle avait publié des douzaines de romans gothiques et de thrillers, elle ne devait pas l'oublier. Dans la vraie vie les chutes fatales étaient le plus souvent réelles. Même dans les escaliers tournants en marbre.

Ils possédaient une maison à Palm Beach; sans

doute Thea s'apprêtait-elle à aller là-bas, mais il paraissait plus logique de partir dans sa famille à ce moment de l'année.

Pourtant Thea avait sûrement une garde-robe d'été à Palm Beach...

La porte s'ouvrit, Kay pivota dans son fauteuil. Pete entra avec un sac à provisions marron. Il eut le sourire de John Henderson. « Par quoi veux-tu commencer ? demanda-t-il.

– Comme tu veux, chéri. »

Il sourit à la lueur bleutée des écrans, regardant les masters. « Joli, dit-il. *La Légende des deux valises.* J'avais bien dit qu'elle reviendrait. » Il alla dans la cuisine. Un flot de lumière éclaira le passe-plat.

Elle considéra Lisa qui essayait de fermer sa valise, Maggie qui rangeait la sienne dans le placard.

Elle se leva pour le rejoindre. Il vidait le contenu du sac sur le comptoir. « Je vais le faire, chérie, dit-il.

– J'ai envie de bouger... » protesta-t-elle. Elle prit des assiettes dans l'égouttoir et les posa à côté de lui. « Mmmm, ça sent bon.

– Pourquoi ne mettent-ils pas d'étiquettes... » Il fit glisser le couvercle en métal d'un récipient rond.

Elle prit des fourchettes et des cuillères à soupe dans le tiroir. « Les valises m'ont rappelé quelque chose, dit-elle. Norman m'a parlé de la chute de ta mère. »

Il se retourna. « Il était là ? demanda-t-il.

– Non. Il en a entendu parler. Je savais qu'elle était morte de cette façon, Sam me l'a raconté, mais j'ignorais que cela s'était passé à la maison. » Elle effleura son bras. « Tu te trouvais là ? »

Il hocha la tête. « Elle venait juste de me dire au revoir. Deux minutes avant. »

Elle frémit.

« Je n'ai rien vu, je me trouvais dans ma chambre. »

Il sourit. « Je regardais *Charlie's Angels*. Tout d'un coup j'ai entendu un grand silence en bas. Il y avait trente ou quarante personnes, et tout le monde se taisait... » Il fit glisser le couvercle avec les pouces. « Je pense que ce sont les crevettes au curry. »

Elle se tenait toujours près de lui, cramponnée à son bras. « Où allait-elle ?

– Chez mes grands-parents. A Nova Scotia. Tu connais ?

– Non.

– Moi non plus. Elle en faisait un tableau sinistre. Ils sont venus nous voir plusieurs fois, nous ne leur rendions jamais visite. »

Elle lui embrassa l'oreille et lâcha son bras pour prendre un paquet de serviettes en papier tandis qu'il servait le riz et les crevettes. « Qu'est-ce que tu veux boire ? » demanda-t-elle.

Il plissa les yeux, fit la moue. « De la bière.

– Bonne idée », dit-elle, posant les fourchettes et les serviettes sur le plateau. Elle ouvrit le réfrigérateur. « De quoi est mort ton père ?

– Cancer de la moelle épinière. Quand Norman te l'a-t-il raconté ? l'autre soir ? »

Elle prit deux canettes, referma la porte du coude. « Non. Hier, au bureau. Il est très impressionné par toi, tu sais cela ?

– Allons. C'est mon argent seulement.

– Les deux. »

Elle trouva des verres et porta le plateau sur la console. Il se chargea des deux assiettes pleines.

C'était samedi. Ils regardèrent jusqu'à deux heures du matin. Elle était assise sur ses genoux.

« Quelle soirée ! » s'écria-t-elle en se retournant pour l'étreindre. Il pivota dans son fauteuil pendant qu'ils s'embrassaient. « Un samedi ordinaire », dit-il.

Elle se leva en s'étirant et bâilla. Il lui caressa le

dos, ouvrit un tiroir. « Je vais enregistrer les Stein, au cas où Springsteen vienne.

– Il ne viendra pas », répondit-elle en boutonnant sa chemise. « Mark est une ordure, tu ne vois pas?

– Vladimir Horowitz leur a rendu visite une fois », reprit-il en enlevant le plastique d'une cassette. « Mais Lesley a parlé sans arrêt.

– Tu enregistres beaucoup? demanda-t-elle en rassemblant la vaisselle sale.

– Non », répondit-il, froissant le plastique avant de sortir la cassette de son étui. « Je l'ai fait la première année – ces deux tiroirs sont pleins – mais il se passe tant de choses nouvelles que je ne les regarde jamais. » Il enfonça la cassette dans le magnétoscope de droite. « A présent je ne le fais qu'en cas d'événement majeur. » Il appuya sur les touches.

« Comme nous », remarqua-t-elle en essuyant les miettes de riz et de gâteau au chocolat avec une serviette froissée.

« Exact, dit-il en souriant. Et *peut-être* Springsteen. »

Il coupa tout, sauf le magnétoscope et le moniteur du séjour des Stein.

Ils rangèrent la cuisine. Quand ils sortirent Pete emporta la poubelle.

Elle avait jeté seulement un coup d'œil à deux des manuscrits proposés à la réunion de mercredi après-midi mais elle s'en tira brillamment. J'ai utilisé des arguments très convaincants, se dit-elle en descendant au quarante-huitième étage, la forêt cachait l'arbre.

Sam lisait près de la réception, son manteau posé à côté de lui. Il la regarda par-dessus ses lunettes en demi-lune et se leva avec un sourire – vêtu d'un pantalon de velours marron, d'une chemise à carreaux, d'une cravate noire, ses cheveux gris fraîchement coupés. « Bonjour ! » s'écria-t-il, reposant son *Publishers Weekly*.

« Sam ! dit-elle en s'approchant. Stuart m'a annoncé votre venue.

— Vous pouvez me féliciter, répondit-il en lui serrant la main. Je suis désormais un auteur de Diadem.

— Oh ! c'est fantastique ! Bravo, de tout cœur ! » Elle l'étreignit. « Bravo à *nous* deux ! »

Il lui sourit. De pâles cicatrices sillonnaient sa joue enflammée et son nez en biais. « Il prépare un contrat. Une avance maintenant et une autre quand j'arriverai à la moitié de mon travail.

— Je savais que cela lui plairait.

— Je voulais vous remercier. »

Elle l'emmena dans son bureau et demanda à Sara de leur apporter deux cafés. Ils s'assirent dans des fauteuils près de la fenêtre.

Il considéra les bureaux aux parois de verre de l'immeuble d'en face. « Le paradis des voyeurs », dit-il.

Elle sourit en remuant sa cuillère.

Il but une gorgée. « Stuart ne pouvait être plus favorable, il a grandi dans le milieu du cinéma.

— C'est pourquoi je le lui ai donné. En partie... c'es aussi un bon directeur littéraire qui a beaucoup d'influence ici.

— Je vous suis vraiment reconnaissant. Cela m'a changé la vie. Je pense qu'à long terme j'ai eu tort d'accepter la subvention de la fondation. Vous savez. » Il porta à ses lèvres la tasse blanche ornée d'une couronne bleue à trois joyaux. « On devient terriblement paresseux quand l'argent arrive sans problème. Maintenant, en plus de mon livre — et je sens que je progresse — j'enseigne plus qu'avant. J'envisage même de me remettre aux talk shows et à la réalisation. »

Elle sourit. « Je suis très heureuse. J'espère de tout cœur que cela marchera.

— Nous visons le printemps prochain. J'ai environ quatre-vingts pages.

— Je voudrais vous demander quelque chose en échange.

— Bien sûr, répondit-il.

— Une réponse à une question personnelle.

— Pourquoi pas ? Je suis très franc dans mon bouquin. Allez-y.

— Quand Thea Marshall est morte, partait-elle vous rejoindre ? »

Il eut un geste de recul. Il la fixait de ses yeux cernés.

« Comment cette idée vous est-elle venue ?

— Ou bien avait-elle du travail en Californie ?

— *Non*. Absolument pas. Je le lui avais demandé quelques semaines auparavant et elle m'avait raccroché au nez. » Il soupira en étudiant sa tasse. « Cela durait depuis plus de vingt ans. Avec les séparations. Elle était mariée tout ce temps, avec un homme bourré de fric qu'elle refusait de lâcher. Au moins elle était honnête là-dessus. Elle avait eu une enfance pauvre et redoutait de mourir dans la misère. Ce qui ne manquerait pas de lui arriver avec moi. Je buvais déjà trop. Tandis que son mari était le président de U.S. Steel et ne touchait pratiquement pas à l'alcool. Elle avait aussi raison pour sa carrière. »

Il se redressa en secouant la tête. « Non, ce n'était pas une femme à prendre des risques. Elle allait voir sa famille, c'est ce que la presse a dit. Elle venait de Nova Scotia. Ses parents étaient pêcheurs. » Il but une gorgée de café.

« On a raconté à l'époque qu'elle emportait des vêtements d'été. »

Il la considéra, l'air surpris.

« Une de ses valises s'est ouverte quand elle est tombée.

– Où avez-vous appris cela?

– Une de ses connaissances me l'a dit. »

Il reposa sa tasse. Il regardait droit devant lui.

« Nom de Dieu... » Il se gratta l'oreille. « Vous savez, tout concorde. Il avait mis ma tête à prix. Sans doute avait-il découvert certaines de mes lettres, ou lui avait-elle finalement parlé de nous.

– *Votre tête?* »

Il acquiesça. « Un de mes amis avait des relations dans la mafia, il m'a mis en garde. Je ne l'ai pas cru. Et puis je me suis fait casser la gueule. » Il indiqua sa joue et son nez. « J'ai décidé qu'il était temps de voyager. C'est pourquoi ma carrière a pris fin. Essentiellement. Nom de Dieu, répéta-t-il. J'ai trouvé qu'il exagérait, mais si elle le quittait pour me rejoindre... »

Kay le regardait.

Il sourit. « Je suis persuadé que cette rumeur correspond à la réalité. Je vous en prie, si on vous dit le contraire, ne me dites rien.

– Bouche cousue.

– Elle emportait des robes d'été...

– Des maillots de bain et des tenues légères...

– Je vous suis doublement reconnaissant », déclara-t-il.

Elle lui demanda où il avait voyagé; pendant qu'ils finissaient leur café il lui parla d'une communauté du Nouveau-Mexique où il avait passé quatre ans; il pensait écrire un chapitre là-dessus. Il n'avait pas encore trouvé de titre pour son livre.

« Écoutez », proposa-t-il quand il se leva pour prendre congé. « Je donne une petite fête vendredi en huit, le 22 décembre. Voulez-vous venir? Stuart sera là.

– Je pars dans ma famille le 23 à l'aube, dit-elle, mais je viendrai sûrement une heure ou deux.

– Parfait », s'écria-t-il comme elle le raccompagnait à la porte. « C'est à partir de 20 heures. Amenez votre ami si vous le souhaitez. » Il lui sourit. « Je vous ai vus vous bécoter dans la rue il y a quelque temps. Donnez-moi une fenêtre au troisième et je deviendrai un vrai Nosy Parker.

– Nous en sommes tous là..., observa-t-elle.

– Dites-lui que j'admire son goût. Quel dommage pour Naomi... Singer, je crois. »

Elle s'immobilisa sur le seuil.

« La fille qui s'est jetée par la fenêtre. La femme, je veux dire. »

Elle se taisait.

« Oooh... J'ai fait une gaffe ? Je ne les ai vus qu'une fois. En train de manger, pas de s'embrasser. A Jackson Hole. »

Il prit son manteau, salua Sara.

« Je me réjouis de vous voir le 22, dit-il à Kay en lui serrant la main. Ce sera tout à fait informel. Plein d'acteurs au chômage.

– Passionnant », dit-elle en souriant.

Elle regarda la caméra. Tourna la tête pour étudier les cheveux teints en roux de Diane et le numéro d'étage au-dessus de la porte. Elle sortit au vingtième.

Le téléphone sonna comme elle suspendait son manteau. Elle prit Felice sur son épaule, alluma les néons de la cuisine et décrocha avant le troisième coup. « Allô, dit-elle.

– Bonjour, chérie, quelque chose ne va pas ?

– Si tu me parlais de Naomi Singer », répondit-elle. Felice ronronnait. Elle embrassa la fourrure de son flanc.

« Je ne comprends pas...

— Naomi Singer. Tu ne l'as sûrement pas oubliée. Une trentaine d'années, je crois. Elle travaillait pour Channel Thirteen.

— Kay, de quoi s'agit-il?

— Sam est venu au bureau aujourd'hui. Il m'a chargée de te transmettre qu'il admire ton goût pour les femmes. » Elle s'accroupit et se gratta l'épaule; Felice bondit sur le sol. « Il vous a vus ensemble, continuat-elle en se relevant. A Jackson Hole. » Elle plaça le récepteur contre son oreille gauche.

« Oh! Oui, c'est possible, j'y suis allé une fois avec elle... Nous avions assisté à un des concerts de jazz du dimanche après-midi à l'église de Heavenly Rest et nous nous y sommes arrêtés au retour. Tu t'imagines que je voulais te le cacher? Que c'était une histoire importante? Pas du tout, chérie. Je suis sorti avec elle deux fois en tout. Nous n'avions pas d'atomes crochus.

— Alors pourquoi ne l'as-tu jamais mentionnée? demanda-t-elle.

— Il n'y avait rien à raconter. Tu m'as parlé de tous les mecs avec qui tu as pris un hamburger? Elle était mon type, en beaucoup moins bien que toi, elle travaillait à la télévision, aussi je l'ai abordée dans le local à boîtes aux lettres et je l'ai invitée à boire un verre ou deux chez Hanratty's. Nous n'avions rien en commun. Elle était très déprimée et refermée sur elle-même.

— Vida m'a dit qu'elle pétillait. » Felice, dressée sur ses pattes de derrière, se faisait les griffes sur les beignets de liège.

« Peut-être avec Vida, pas avec moi. Elle m'a appelé un dimanche, quelques semaines plus tard, pour me proposer d'aller au concert, et je me suis dit pourquoi ne pas profiter de cette belle journée. Elle était toujours abattue. C'est tout. Le mois suivant...

– Tu aurais dû m'en parler. Je ne comprends pas pourquoi tu ne l'as pas fait.

– Ce n'est pas comme si j'avais menti. Tu n'as pas posé de questions. Écoute, Kay, ce n'est pas mon sujet préféré. Je sens que j'aurais pu me montrer plus attentif, remarquer des signes, l'aider peut-être. »

Elle soupira. « Tu ne peux pas te reprocher une chose pareille...

– Je sais, mais c'est ce que j'ai éprouvé. Alors je n'aime pas beaucoup revenir là-dessus. Si cela amuse Sam de raconter qui a fait quoi avec qui, je peux te décrire certains cours de théâtre où les scènes...

– Non, Pete, l'interrompit-elle, je ne veux pas le savoir. » Elle se baissa précipitamment pour changer l'eau du bol de Felice.

« Je lui en veux d'essayer de semer la zizanie entre nous. »

Elle ouvrit le robinet de l'évier du dos de la main. « Ce n'est pas du tout le cas, protesta-t-elle en rinçant le bol.

– C'est exactement le vieil homme jaloux et hostile contre lequel tu m'as mis en garde.

– Il nous invite à une soirée », dit-elle en remplissant l'écuelle. « Il nous a vus nous " bécoter " dans la rue. Stuart lui fait un contrat.

– Tu lui as dit qui j'étais ?

– Bien sûr que non », répondit-elle en posant le bol sur le carrelage. « Mais il va probablement le découvrir. Dès qu'il se mettra à écrire sur ta mère, Stuart, Norman ou un autre lui apprendra que je sors avec son fils. Pourquoi ne pas le lui dire ? Il ne comprendra pas forcément que la fondation t'appartient. » Elle tapota la tête de Felice qui lapait son eau. « Et s'il s'en aperçoit, eh bien, ce ne serait peut-être pas une mauvaise chose non plus.

– Viens, nous allons parler de tout ça. Vida est de

retour, elle a subi son opération, et Liz met les choses en place pour son groupe de rap.

— Oh zut ! » dit-elle. Elle ferma le robinet. « Je ne peux pas regarder ce soir, je suis *affreusement* en retard dans mes lectures.

— Tu ne m'en veux plus, hein ?

— Non, non, dit-elle en retirant ses chaussures. Vraiment, chéri, ça devient dramatique pour mon travail. J'ai eu un mal fou à me tirer de la réunion d'aujourd'hui, et ce n'était pas drôle du tout. Viens plus tard. D'accord ?

— Bien sûr. Je t'aime.

— *Moi* aussi, dit-elle. Tu as de quoi manger ?

— Plein. A plus tard. »

Ils raccrochèrent.

Elle fixait les mots imprimés, se demandant s'il avait encore menti. Il pouvait se montrer très persuasif, c'était un artiste en la matière.

Atomes crochus ou pas, avait-il eu une aventure avec Naomi Singer ? L'avait-il emmenée dans le 13B ? Peut-être s'était-elle aussi prise au jeu. *Intoxiquée* par ce paysage humain, par cette vision du monde qui n'appartient qu'à Dieu.

L'observait-il en ce moment, face au manuscrit posé sur le bureau ? Pour voir si elle lisait ou rêvait ? Avait-il baissé les manettes, appuyé sur les touches, pour la mettre sur le 1 ou le 2 ?

Elle tourna la page.

Elle devenait paranoïaque.

Grâce à la magie électronique de Takai, Sakai ou Banzai, il pouvait effectivement la surveiller, et même lire par-dessus son épaule. Il n'était pas surprenant que Hubert Sheer eût décidé de se rendre au Japon pour ses recherches...

Elle se concentra sur les mots. Quel retard dramatique...

Encore un assassin à répétition. Allons, mes amis, changeons de sujet.

Elle lut une demi-douzaine de pages du manuscrit. Inscrivit au feutre bleu sur la fiche de lecture de Diadem agrafée à la chemise de l'agence, *Pas pour nous*. Elle mit le texte de côté.

Elle eut envie de lever les yeux vers le plafonnier, mais se gratta la nuque avant d'ouvrir le texte suivant.

Conflit conjugal. Pas aussi épineux que celui des Hoffman ou des McAuliff, mais crédible, bien écrit, intéressant. Le téléphone sonna.

Elle considéra l'appareil avant de décrocher, au deuxième coup. « Allô ?

— Ce n'est pas le répondeur ? Dieu, je n'en crois pas mes oreilles.

— Bonjour Roxie. Désolée, je suis débordée.

— J'imagine. Comment va Jeune Yeux-Bleus ?

— A merveille », répondit-elle. Écoutait-il ?

« Devine qui fait une exposition à la galerie Greene Street en avril ?

— Oh ! Roxie, c'est formidable ! Félicitations ! Raconte-moi tout ! »

Roxie parla aussi de l'accident de la mère de Fletcher, de leurs projets pour Noël et du dernier film qu'ils avaient vu. « Tu vas bien ?

— Absolument. Je suis juste une année-lumière en retard dans mes lectures.

— Pourquoi ne l'as-tu pas dit plus tôt ? Je te laisse. Nous allons faire du patin à glace dimanche, tu viens avec nous ?

— J'en parlerai à Pete et je te rappellerai. Au revoir. Embrasse Fletcher pour moi. » Elle raccrocha.

Elle continua à lire.

Se gratta la nuque.

Prit une douche.

Vit quelque chose qui bougeait derrière la vitre couverte de buée. La porte s'ouvrit et il apparut entièrement nu, souriant. « Surprise », s'écria-t-il, en l'étreignant sous l'averse chaude, dansant avec elle. « Ooooh ! c'est brûlant !... »

Elle reprit son souffle. « Je peux me passer de *Psychose*, dit-elle.

— Je suis désolé. » Il la serra plus fort, l'embrassant sur la joue. « Je t'ai observée une ou deux fois. Quand je t'ai vue entrer dans la salle de bains, j'ai pensé, " ce serait délicieux de la rejoindre ". Je n'ai pas pu résister.

— Je savais que tu me surveillais, répondit-elle.

— Et je savais que tu savais. » Il sourit. « C'était excitant... » Elle détourna les yeux. Il lui prit le menton et l'obligea à le regarder. « Je n'ai pas menti, chérie. Je suis sorti deux fois avec elle, c'est tout. Si cela avait été important je te l'aurais dit. Je ne te reproche pas de te poser des questions. Tu vois comme je t'ai menti avant. Mais c'est la vérité, je le jure. »

Il l'embrassa tendrement, jouant avec sa langue sous la douche qui continuait de couler.

Elle ignorait qu'il possédait un passe-partout, mais ce n'était pas une surprise. Même quand les gens changeaient leurs serrures, ils remettaient à Dmitri des doubles auxquels Pete avait accès.

Le lendemain matin à la première heure elle téléphona au service de presse. Tamiko était là. « Bonjour, peux-tu me rendre un service s'il te plaît ? dit-elle. J'ai besoin des articles concernant les morts de mon immeuble. J'aimerais m'informer plus amplement à ce sujet. La dernière s'est produite vers la fin octobre. Hubert Sheer avec deux E.

– L'une de nos banques de données devrait posséder ces renseignements. Tu as vérifié?

– Je n'y ai pas pensé. Je ne le fais jamais.

– L'adresse est 1300 Madison, c'est cela?

– Oui.

– Je vais voir. Si je ne trouve rien j'appellerai quelqu'un au *Times*. Pas de problème.

– Merci mille fois.

– J'ai entendu dire que tu avais rencontré le prince charmant?

– Nous sommes amis », répondit-elle.

Quand son rendez-vous de 10 heures et demie quitta le bureau, Sara lui apporta une grande enveloppe.

Un listing plié en accordéon, d'une épaisseur de deux centimètres.

Elle parcourut les comptes rendus de l'opposition du quartier aux plans déposés par Barry Beck pour la construction d'un sliver de 21 étages, 1300 Madison Avenue; du combat de Civitas et de Carnegie Hill Neighbors, des rassemblements de Brick Church, d'une bataille de trois années perdue au tribunal – à un cheveu près.

Elle lut le récit de la mort de William G. Webber, analyste financier, 27 ans, qui habitait 1300 Madison.

Le décès de William G. Webber, affirmaient les articles, avait été causé par une overdose de cocaïne. Il ne se contentait pas d'utiliser la drogue, il la revendait aussi, et il avait confondu la marchandise pure et coupée. Heureusement ses deux compagnes en avaient moins pris que lui.

Elle se rendit en hâte à la réunion des commerciaux de 11 heures – un plaisir, ils avaient quatre livres sur la liste du *Sunday Times*, dont deux romans. June l'invita à dîner, « Et aussi Peter, ou qui tu veux » pour le samedi 6 janvier. Elle la remercia et répondit que Pete l'accompagnerait avec joie.

Elle invita un agent à déjeuner au *Perigord East*. Demanda à Sara de prendre tous les appels.

Elle lut le récit du plongeon de Naomi Singer, du quinzième étage du 1300 Madison Avenue. Le dossier comprenait la description de la crise cardiaque, un an auparavant, d'un autre locataire de l'immeuble, Brendan Connahay, et de la mort par overdose de cocaïne d'un troisième locataire, William G. Webber, 27 ans.

Naomi Singer avait 31 ans, c'était une assistante de production à w.n.e.t.-t.v. Elle avait téléphoné le jeudi matin pour annoncer qu'elle ne viendrait pas travailler et peu avant midi elle avait sauté par le fenêtre de son séjour. Née à Boston, diplômée de Wellesley, elle avait emménagé trois mois plus tôt à New York. Elle laissait une lettre d'une page écrite à la main où elle se disait « déprimée par les affaires mondiales, ses déboires personnels, et s'excusait auprès de ses amis et de sa famille ». Elle n'avait pas de passé psychiatrique et n'était pas droguée.

Les amis et collègues de Naomi Singer, 31 ans, qui s'était suicidée en se jetant du quinzième étage, furent profondément choqués. Une certaine Barbara Ann Avakian déclara : « Naomi était très concernée par la question de l'environnement et les droits de l'homme, mais elle avait une personnalité extrêmement positive. Elle s'est fait beaucoup d'amis durant le peu de temps qu'elle a passé au 1300 Madison, et travaillait avec enthousiasme à un projet de documentaire sur les sans-abri. Il est difficile de comprendre pourquoi elle a commis un acte aussi terrible. »

Elle lut le récit de la mort de Rafael Ortiz, 30 ans, gardien de l'immeuble situé 1300 Madison Avenue, dont la tête et le bras gauche avaient été en partie sectionnés par le moteur d'un ascenseur. Il procédait à l'entretien de routine un mardi matin très tôt. Ces accidents, quoique peu courants, étaient invariablement associés avec l'usage de l'alcool ou des drogues, selon le représentant du fabricant. La mort de M. Ortiz était la quatrième dans l'immeuble en un peu moins de deux ans. Il laissait une femme enceinte et deux enfants.

L'autopsie de Rafael Ortiz, 30 ans, en partie décapité par le mécanisme d'un ascenseur du 1300 Madison Avenue, ne révéla aucune trace d'alcool ni de drogue.

Edgar P. Voorhes, un des avocats de la corporation de l'immeuble, refusa de commenter la transaction qui mit fin à la poursuite intentée par la veuve du gardien, qui réclamait 10 millions de dollars aux propriétaires du sliver maudit de l'Upper East Side...

Elle lut le compte rendu de la mort d'Hubert Sheer, 43 ans, découvert dans sa douche au 1300 Madison.

Le journal parlait de *The Worm in the Apple*, des articles de Sheer dans des revues, de sa carrière de professeur à Columbia, de son passage au Viêt-nam, de ses années à l'université de Chicago, des parents et des frères qui lui survivaient.

Elle relut le commentaire de Martin Sugarman : « Il travaillait à un livre qui serait certainement devenu un chef-d'œuvre, une vue d'ensemble et une analyse de la télévision passée, présente et future. Sa mort est une perte non seulement pour ceux qui le connaissaient mais pour la société tout entière, qui eût à coup sûr gagné à découvrir sa pensée. »

L'autopsie pratiquée sur Hubert Sheer, 43 ans, indiquait qu'il s'était noyé sur le carrelage de sa douche, inconscient à la suite d'un choc à la tête survenu pendant sa chute. Il avait fixé un sac en plastique autour du plâtre protégeant sa cheville gauche, brisée lors d'un accident de vélo une semaine auparavant. La mort s'était produite dans la nuit du 23 au 24 octobre, cinquième disparition en trois ans au 1300 Madison Avenue, surnommé « le gratte-ciel de la terreur ».

Elle referma le dossier sur lequel elle posa ses mains à plat.

Elle avait publié des douzaines de romans gothiques et de thrillers, elle ne devait pas l'oublier.

Dans la vraie vie les chutes mortelles étaient le plus souvent accidentelles, *spécialement* dans les douches.

La lettre écrite à la main par Naomi Singer ne pouvait être un faux.

Peut-être que si ?

Ses mains pianotaient lentement sur le listing, plié en accordéon.

Elle appela Sara et lui demanda de faire le numéro de Martin Sugarman.

Du pouce, elle lissait les plis des feuillets.

Trop de romans gothiques et de thrillers...

« Allô, Kay ?

— Bonjour, Martin. Comment allez-vous ?

— Très bien. Félicitations, vous devez être dans un état second là-haut !

— Merci, dit-elle. Je n'ai entendu personne se plaindre. Martin, je viens juste de relire les comptes rendus de la mort d'Hubert Sheer...

— Ah ?

— Sauriez-vous s'il avait l'intention de rendre visite à un industriel japonais nommé Takai ou Sakai ? Les caméras de surveillance, le haut de gamme.

— J'ai la liste de ses rendez-vous et tous ses documents. Un autre écrivain va finir son travail. Pourquoi me posez-vous la question ? »

Elle respira profondément. « J'enquête sur les cinq morts de mon immeuble. Il y a sûrement un livre à faire. Pouvez-vous vérifier votre liste? Je vous en serais reconnaissante.

– Bien entendu. Ne quittez pas. »

Elle s'adossa à son siège, regardant les lampes qui s'allumaient dans les bureaux d'en face.

Trop de romans gothiques et de thrillers...

« Ma secrétaire cherche. Kay, quand je pense aux livres que vous avez publiés, je ne suis pas surpris que vous redoutiez un crime. Je peux vous dire immédiatement que pour la mort de Rocky vous vous trompez de piste.

– Et pourquoi donc? demanda-t-elle.

– Quand il a glissé, il a heurté sa tempe contre le robinet de la douche, assez violemment pour perdre conscience; ensuite il est tombé à genoux sur le sol, le visage contre terre, il a rempli ses poumons d'eau et s'est noyé. Il n'y a pas de question là-dessus; la meurtrissure sur sa tempe correspond exactement au robinet. C'est un accessoire très particulier – vous le savez, vous possédez sûrement le même – et personne n'a pu le frapper assez fort pour le mettre K.O.; c'était un homme solide et en bonne santé malgré sa cheville blessée. Il n'y avait pas de témoins, aucun visiteur n'est venu ce soir-là et la porte n'a pas été forcée. » Il froissa le papier entre ses doigts. « J'ai la liste. Quel nom avez-vous mentionné?

– Takai ou Sakai. Quelque chose comme ça.

– ... Oui, la société Takai – T, A, K, A, I, – à Osaka. Il devait les voir mardi 31 octobre à 8 heures du matin. 8 heures... pas étonnant qu'ils abattent autant de boulot. Il a ajouté une petite note. *Cam. ht. rés.* – caméras haute résolution, sûrement. B.T.R.

– Boîtier sur mesure, dit-elle.

– Oui, sans doute. Pourquoi cherchez-vous cette société particulière? »

Elle se tut.

« Kay ?

— C'est trop compliqué. Merci, Martin.

— Vous m'avez bien entendu ? C'était un tragique accident, rien d'autre.

— Oui.

— Voulez-vous féliciter Norman et June pour moi ?

— Certainement. Merci encore, Martin. Au revoir. »

Elle raccrocha.

Sans doute s'interrogeait-il sur sa santé mentale.

Elle se demandait si elle devenait folle.

Quelqu'un avait pu démonter le robinet chromé Arts déco de n'importe quelle douche avec un tournevis et le fixer avec du fil de fer ou du sparadrap à une batte de base-ball, une bûche ou autre chose...

Pete ? Petey ? Son amour chéri ?

Non, jamais, impossible.

Il pouvait mentir — rien d'étonnant, avec une mère actrice et un père P.-D.G. Il y avait un pas entre le mensonge et le crime. Le meurtre était...

Un événement majeur.

Ils regardèrent les Wagnall, les Baker. Les Ostrow, le représentant de la société Yoshiwara et ses invités.

Elle l'observait.

Il leva les yeux vers elle.

« Tu sais ce que j'aimerais voir ? dit-elle en souriant.

— Quoi ?

— Nous. »

Il s'écria gaiement : « Je croyais que tu ne le demanderais jamais ! » et se pencha pour l'embrasser. « Ne bouge pas. »

Il pivota dans son fauteuil, se leva et se dirigea vers l'entrée.

Elle fit rouler son siège sur le côté, venant heurter le sien ; elle le vit entrer dans la pièce du fond. Il alluma la lumière pour se frayer un chemin parmi les cartons, puis tourna à gauche et disparut.

Elle pivota, effleura le bouton 13A du milieu, le n° 2.

Elle le regarda sur le 2 ; il franchit une zone obscure, en bas de l'écran, tout à fait à droite. Il appuya sur l'interrupteur de sa chambre Habitat en désordre. Il se tourna vers le mur et s'accroupit entre la porte et la première section du placard, il souleva quelque chose.

Sa tête et ses épaules cachaient son geste.

Il se releva, une cassette à la main.

Elle appuya sur un autre bouton et sur le 2, la main tremblante. Elle regarda les Gruen qui jouaient au bridge avec deux hommes.

Elle parcourut les moniteurs des yeux. Denise se disputait avec Kim dans le séjour 5B, elle les mit sur le 1. « ...*boulot*, je ne vais pas risquer de le perdre pour cinq cents malheureux dollars! » dit Denise, jetant sa serviette sur la table; elle se leva pour aller à la fenêtre. « Tu me prends pour une idiote? »

« Je t'apporte quelque chose de plus intéressant », dit-il en entrant. Elle leva la main pour le faire taire.

« Est-ce que tu vas te servir de ta tête pour une fois, Denise? » dit Kim en versant du lait dans son café.

Il s'assit, pivota, sortant une cassette de son étui noir.

« Tu pourrais arriver à gagner quatre ou cinq mille dollars, poursuivit Kim. Plus même. Et pas d'impôts. Puis-je fumer une putain de cigarette? »

Ils regardèrent Denise et Kim.

Les Baker, les Cole.

Il appuya sur une touche du magnétoscope de droite, plaça la cassette à l'intérieur, effleura plusieurs boutons, baissa une manette au centre.

Ils se regardèrent sur le 2.

« Oh! je suis *énorme*! s'écria-t-elle.

— Pas du tout, tu es superbe...!

— Mon Dieu, chéri, c'est si bon », dit-elle renversée sur le lit, tandis qu'il caressait un de ses seins et embrassait l'autre.

Il lui prit le bras; elle vint s'asseoir sur ses genoux.

Ils regardèrent Kay et Pete.

Elle décida de rester à la maison le lendemain, qui était un vendredi. Elle ne l'avait pas prévu mais se sentait trop fatiguée pour se lever tôt.

« Je dois sortir cet après-midi », dit-il en s'accoudant au comptoir, surveillant un muffin dans le four à micro-ondes; perchée sur son épaule, Felice reniflait les placards.

« C'est aussi bien », répondit-elle en versant le café. « J'ai *vraiment* beaucoup de travail. Où vas-tu?

— Oh... dans le centre. Des cadeaux de Noël à acheter. Personne que tu connaisses. »

Il l'aida à nettoyer la table. Ils s'embrassèrent sur le seuil. « Appelle-moi avant de partir », dit-elle.

Il lui sourit. « Je t'aime.

— *Moi* aussi, Pete », répondit-elle en le regardant dans les yeux.

Ils s'embrassèrent encore.

Elle téléphona à Sara et la pria d'annuler ses engagements et de reporter les rendez-vous.

« Vous n'êtes pas malade?

— Pas du tout. Je suis seulement beaucoup plus en retard que ce que je croyais. »

Et de plus en plus paranoïaque.

Elle n'avait encore fait aucune course de Noël.

Elle lut à son bureau; Felice dormait sur le lit.

Il l'appela à 13 h 37. « Ça va?

— Très bien. J'ai vraiment avancé.

— Mauvaises nouvelles. Allan s'est fait virer.

— Non... Les salauds...

— Presque tout le département a été viré.

— Comment le prend-il?

— Bien. Babette a une crise d'hystérie. Je pars maintenant. Je devrais être rentré à 5 heures.

— J'avais envie de descendre pour regarder en mangeant un yaourt...

— C'est vrai? Je te laisserai la clé derrière la glace.

– Oui? Je pense que je vais faire cela.

– Tu sais mettre en route, n'est-ce pas?

– Oui.

– A plus tard. » Un baiser.

« Je t'aime, dit-elle.

– Moi aussi. »

Elle raccrocha, considérant la page devant elle.

Elle essaya de réfléchir à un cadeau pour lui. Peut-être un tableau pour ces murs vides.

Elle lut quelques minutes puis éteignit la lampe, laissant le répondeur branché. Elle alla se laver les mains dans la salle de bains et prit ses clés.

Elle dit à Felice qu'elle serait de retour dans un moment.

Elle descendit par l'escalier.

Tout bien réfléchi, elle n'était pas si mal. Elle écarta le cadre doré du miroir du mur à carreaux noirs et blancs. La clé lui échappa et rebondit sur la table, traçant sur la laque sable un minuscule croissant. Elle mouilla le bout de son doigt et frotta. La marque resta.

Elle ouvrit le 13B et entra, glissant la clé dans sa poche. Elle considéra les écrans gris, la cuisine, les portes entrouvertes de la salle de bains et du débarras, où elle jeta un coup d'œil. Le soleil filtrait à travers les lamelles du store, éclairant l'établi avec ses outils et ses moniteurs démontés, et, près de la fenêtre, la niche métallique du transformateur, la machine à ramer, les cartons, les morceaux de bois éparpillés...

Elle alla jusqu'au placard du milieu, ouvrit les portes accordéon, puis, à l'intérieur, la porte en contreplaqué. Elle baissa la tête et, écartant les vêtements suspendus, parvint dans la chambre Habitat bleu et beige, pleine de lumière. Le store était remonté, la fenêtre entrouverte des deux côtés.

Elle considéra la pièce jonchée d'habits. « *Pete*? » appela-t-elle.

Elle se dirigea vers la porte d'entrée.

Regarda vers le séjour – le divan de cuir sable, le ciel bleu au-dessus d'un immeuble de Park Avenue.

Elle ferma la porte de la chambre, se tourna vers le mur et s'accroupit.

Elle tâta les lattes lisses du parquet parfaitement jointes. Aucune ne céda.

Elle essaya la plinthe – environ huit centimètres de haut, soixante de long – mais en vain. Une fente imperceptible la séparait du mur. Elle pressa une extrémité, puis l'autre.

Elle se souvint de son geste et la souleva.

La plinthe coulissa sur des rainures métalliques creusées dans la porte et l'encadrement du placard.

Elle la posa près d'elle, tourna une poignée à l'intérieur et attrapa un large tiroir gris, peu profond. Il y avait des liasses de dollars – trois de billets de 100, deux de 500. Un coffret en cuir marron de la taille d'une boîte à cigares, des enveloppes en papier bulle. Des cassettes.

Trois étuis noirs, posés côte à côte.

Elle en prit un ; un K était inscrit sur l'étiquette collée sur la tranche.

Le suivant, K2, contenait la bande qu'ils avaient regardée la veille. Sur le troisième figurait un R. Rocky ?

Il y avait quatre cassettes en dessous : N, N2, N3 et B.

Cela l'intrigua mais elle finit par se rappeler que William Gebber, 27 ans, était Billy Webber.

Elle s'accroupit, étudiant les cassettes dans ses mains.

Elle avait peur de n'avoir pas été du tout paranoïaque.

Il aurait dû prévoir une marge de plus de vingt minutes, un vendredi, à une semaine de Noël; ils se trouvaient à peine au niveau de la 72ᵉ Rue et l'horloge indiquait déjà 13 h 55.

Enfin, c'était un taxi Checker, une relique du passé, avec énormément de place et un strapontin où il pouvait poser ses pieds. Agréable, pour écouter la radio. Il serait donc en retard; ils l'attendraient...

Il se rendait à la galerie Pace pour choisir entre deux Hopper. Puis chez Tiffany.

Il sourit, les pieds en l'air, les mains croisées.

Charmant de l'imaginer en train de regarder toute seule. Son amour face à un autre amour...

Qui eût cru qu'il partagerait un jour cela avec une femme, qu'il lui confierait ses clés? Une femme si parfaite et aimante. Comme il avait eu raison de courir ce risque. Il poussa un soupir. Quelle chance extraordinaire!

L'autre soir à peine, grâce à cet imbécile de Sam, il avait failli basculer dans le précipice. Quelle minute terrible, quand elle lui avait demandé à brûle-pourpoint de lui parler de Naomi. Ooooh!

Dieu merci il avait réussi à la convaincre qu'il ne lui cachait rien. Cette nuit avait tout effacé, elle s'était montrée si tendre, si amoureuse, si concentrée quand ils s'étaient regardés sur l'écran...

Deux premières pour elle : voir leur cassette, et suivre seule ce qui se passait dans l'immeuble...

Il enleva ses pieds du strapontin et se redressa, brusquement glacé.

Il regarda dehors. Un doberman le fixait par la fenêtre ouverte d'une limousine, les pattes posées sur la carrosserie étincelante.

Il se tourna de l'autre côté. Ils passaient devant le Frick Museum.

L'avait-elle surveillé pendant qu'il prenait la cassette?

Bien sûr, imbécile.

C'était pour cette raison qu'elle avait demandé à la voir? Avait-elle deviné la vérité sur Naomi, *toute* la vérité? Et compris – elle était tellement intelligente – qu'il l'avait enregistrée et avait rangé la cassette à la même place?

Elle regardait seule un vendredi où elle restait à la maison, encore une première – tout était inscrit sur son bloc : l'adresse, le jour et l'heure. Il n'avait pas précisé *Galerie Pace* parce qu'il tenait absolument à lui faire une surprise.

Merde. Le septième ciel et, deux secondes plus tard, la paranoïa.

Il se pencha en avant, pour fixer, au-delà de la paroi en plastique et du pare-brise, le flot continu de taxis et de bus qui se déversaient sur quatre voies dans la Cinquième Avenue. « Quel bordel! s'écria-t-il.

– C'est un jour d'embouteillage maximum », dit le chauffeur.

Pete poussa un soupir bruyant et secoua la tête. « Putain de ville. »

Il s'appuya au dossier.

Remit ses pieds sur le strapontin.

Examina ses Reeboks.

Joua avec la frange de son écharpe en laine, écouta la musique légère à la radio.

Glacé à l'intérieur.

La façon dont elle avait regardé ses mains au moment où il mettait la cassette en place et appuyait sur les touches...

Que faisait-elle en ce moment? Et si elle s'apprêtait à visionner la N3?

Des klaxons retentirent. La circulation était bloquée.

« Vous voulez rejoindre Park Avenue? » demanda le chauffeur.

Elle appuya sur avance rapide; la salle de bains était vide derrière des bandes blanches, la vanne posée contre la porte de la douche. Au sommet de l'écran quelqu'un apparut brièvement.

Elle appuya sur le bouton arrêt, puis recula.

Avança.

La salle de bains vide, la canne, le bruit de l'eau de la douche. Des jambes en jean et des tennis passèrent devant la porte de l'entrée, de droite à gauche.

L'homme se retourna, s'accroupit.

Elle bloqua l'image.

Pete.

Tapi sur le seuil, vêtu d'une chemise de rugby à rayures, la main posée devant lui comme pour jeter une pièce de monnaie.

Elle le laissa bouger. Il lança quelque chose, se releva et disparut.

Elle ne distinguait pas le minuscule objet qu'il avait projeté sur le carrelage noir, à un mètre de la porte, près du tapis de bain. En tout cas, il se trouvait dans l'appartement de Hubert « Rocky » Sheer. Sur le point de l'assassiner.

Pete. Son amour chéri.

Elle ferma les yeux.

Les ouvrit. Elle vit la porte de la douche coulisser, la main de Sheer attraper la serviette.

Enveloppé de son linge, il souleva son pied plâtré par-dessus le rebord, prenant la canne dans sa main droite. Une fois dehors, il s'arrêta sur le tapis de bain, la tête baissée. Il se courba sur sa canne et sa jambe gauche, son pied s'envola dans les airs et sa main gauche effleura le sol. Il tourna la tête vers le seuil tandis que Pete lui assenait un coup de matraque avec ses deux mains. Elle coupa le son et pivota sur son fauteuil.

Elle mordillait l'articulation de son pouce.

Pas de doute, il avait aussi tué les autres et craint que Sheer, qui faisait des rapprochements... ne révélât toute l'affaire au grand jour.

Elle ouvrit les yeux, éblouie par la lumière bleutée des moniteurs de gauche. Chris et Sally, Pam, Jay, Lauren. Un homme qu'elle n'avait jamais vu sur le divan du Dr. Palme.

Elle inspira profondément.

Regarda le 2. Il se penchait sur la tête et les épaules de Sheer, à cheval sur son dos. Un halo d'éclairs autour du crâne de Rocky – un récipient en aluminium.

Il était en train de le noyer...

Elle tendit la main pour arrêter l'appareil, récupéra la cassette et la posa à côté de son étui.

Elle regarda la demi-douzaine d'autres bandes sur la console.

L'horloge indiquait 14 h 6. Elle avait largement le temps de regarder une partie de N3 et de N ; il venait à peine d'arriver 57e Rue.

Non, il risquait de rentrer plus tôt et de la prendre sur le fait, comme dans tant de romans gothiques et de thrillers – son rendez-vous annulé, une nouvelle partie de l'infrastructure s'effondrait. La police regarderait N et N3 plus tard ; elle devait sortir à présent, emporter les bandes hors de l'immeuble. Laisser un petit mot pour éviter qu'il ne panique et ne s'enfuie – ou pire.

Il était fou. Complètement. Un sociopathe, malgré son charme, l'amour qu'il lui avait donné – et il l'aimait, elle en était persuadée. Les meurtres avaient été provoqués par le besoin de garder son secret. De protéger son jouet de six millions de dollars – *son* bébé – qu'elle avait si vite partagé.

Elle courba la tête, puis se repeigna avec les doigts et respira profondément.

Roulant vers la droite, elle écarta son fauteuil, ouvrit le tiroir du bas, prit les sept cassettes rangées à l'intérieur.

Elle les échangea avec les autres, essayant de trouver ce qu'elle allait écrire dans son mot, et de se souvenir de l'adresse du commissariat, écartant l'image de son arrestation et de l'assaut médiatique qui suivrait, les gros titres, les micros, le scandale public. Elle vérifia les étiquettes des cassettes K et K2; elle ne les porterait pas à la police, mais les cacherait chez elle pour les détruire ensuite. Elle prit le feutre, marqua les nouveaux étuis.

Elle saisit la pile de fausses-cassettes-dans-les-bonnes-boîtes, traversa de nouveau le débarras, la penderie, et revint dans sa chambre.

Accroupie, elle rangea le tiroir gris comme avant, les N et les B au fond, les K et les R au-dessus – avec le coffret en cuir marron, les enveloppes, les liasses de billets de 100 et 500 dollars.

Elle jeta un coup d'œil à l'intérieur – des pièces d'or serties. Elle le referma, posa le tiroir dans son renfoncement, remit la plinthe en place.

Elle se releva, se demandant à quel point son argent, dont ils ne parlaient jamais, avait altéré son jugement, l'empêchant de remarquer des détails parfaitement visibles en d'autres circonstances.

Elle rebroussa chemin, tirant derrière elle les portes accordéon de la penderie, elle referma la porte en contreplaqué, puis celle du débarras.

Elle traversa l'entrée et revint dans le séjour, près de la console. Elle empila les bonnes-cassettes-dans-les-mauvais-étuis. Prit la planchette, tourna le feuillet jaune du bloc, saisit le stylo. Elle fronça le sourcil. Une réunion imprévue, où sa présence était indispensable? Douteux...

Elle leva les yeux, cherchant un meilleur argument –

et le découvrit dans l'ascenseur n° 2, avec son manteau et son écharpe à rayures. Une femme était à côté de lui. Elle le mit sur le 2 qui resta vide ; elle trouva la bonne manette.

Il paraissait ébranlé et se frottait la nuque. La bonne des Stangerson s'avança pour sortir. Au dixième.

Elle posa le stylo, ouvrit le tiroir du bas à droite, attrapa les cassettes empilées et les fourra avec les autres. Rangea les fauteuils, la planchette, mit le Dr. Palme sur le 1, avec le son, se dirigea vers l'entrée, revint en arrière pour refermer et éteindre le magnéto-scope, courut ouvrir la porte alors qu'il sortait de l'ascenseur. « Que se passe-t-il ? » demanda-t-elle.

Il se frottait encore la nuque. « Mon taxi a eu un accident, dit-il d'une voix tremblante.

— Mon Dieu. Tu n'as rien eu ?

— Je ne sais pas. » Il s'approcha d'elle. « Je crois. J'ai été projeté en l'air et j'ai vu double pendant un moment mais ça va mieux à présent. » Il cligna des yeux plusieurs fois.

« Tu t'es fait mal au cou ?

— Oui, un peu. »

Elle l'attira vers elle. Il retira son écharpe tandis qu'elle lui tapotait la nuque.

« Tes mains tremblent.

— J'ai vu dans l'ascenseur qu'il t'était arrivé quelque chose. Et puis tu es rentré beaucoup plus tôt que prévu. Raconte-moi.

— Un type est sorti d'un parking sans regarder. Mon taxi l'a embouti. Dans la Cinquième Avenue, près de la 79e Rue. Un chauffeur du New Jersey, bien sûr. Un taxi Checker, j'ai été projeté dans tous les sens. » Il secoua la jambe en respirant bruyamment.

« Mon Dieu..., s'écria-t-elle en lui massant la nuque.

— La voiture était une Mercedes toute neuve.

— Quelqu'un a été blessé ?

– La passagère. Elle a eu la jambe écrasée.

– Tu devrais voir un médecin pour t'assurer que tu n'as rien. »

Il se retourna. « Si j'ai encore mal demain, j'irai.

– Tu connais quelqu'un par ici ? »

Il hocha la tête.

Ils se regardèrent. Elle effleura le bord de son manteau. « Pauvre Pete », dit-elle en le prenant dans ses bras.

Il l'étreignit. « J'aurais dû m'asseoir dans un café et attendre. C'était idiot de rentrer.

– Tu as eu raison de le faire », dit-elle.

Ils se sourirent.

S'embrassèrent.

Ils entrèrent dans le 13B. Il ferma la porte. « Tu as mangé ton yaourt ? » demanda-t-il en retirant son manteau.

« Ooh !, s'écria-t-elle. Non, je viens d'arriver. Norman a appelé après toi. Je dois sortir dans un petit moment.

– Ah bon ? demanda-t-il en se retournant.

– J'allais te laisser un mot. Anne Tyler vient à 4 heures et il veut que je sois présente. Elle n'est pas contente de son éditeur actuel.

– Ce serait bien de l'avoir sur la liste, remarqua-t-il en se frottant l'épaule.

– Certainement. Il pense que les chances sont de notre côté. Lui et June la connaissent depuis des années. » Elle alla dans la cuisine.

« Donne-m'en un, chérie. »

Elle regarda dans le réfrigérateur. « Citron ou myrtille ? demanda-t-elle.

– Myrtille. Le Dr. Palme a un nouveau patient.

– Je sais. » Elle choisit deux yaourts, referma la porte avec le coude, prit des cuillères et des serviettes.

Il était assis dans son fauteuil, en train de téléphoner.

Elle posa devant lui un yaourt, une cuillère et une serviette. « C'est Peter Henderson, dit-il. J'avais rendez-vous à 2 heures... Oui. »

Elle s'assit en regardant les masters.

« Je viens d'avoir un accident », dit-il en coinçant le téléphone contre son épaule. « Dans le taxi qui me conduisait chez vous. Je suis un peu secoué. Pouvons-nous remettre à lundi même heure ? »

Ils ouvrirent leurs yaourts, sans quitter l'écran des yeux. « Si c'est si futile, pourquoi être venu ?

– C'est l'idée de Linda », dit l'homme couché sur le divan.

« Parfait, dit Pete. Je suis désolé pour aujourd'hui. Au revoir. » Il raccrocha, nota quelque chose sur sa tablette. « Une galerie qui vend des peintures sur velours », expliqua-t-il.

Elle émit un sifflement.

Ils mangèrent en regardant le Dr. Palme, Lauren, Jay et les Hoffman.

« Il faut que j'y aille », dit-elle en se levant. Elle rassembla les pots de carton, les cuillères, les couvercles et les serviettes. « Tu es sûr que tu te sens bien ?

– Absolument, répondit-il en lâchant sa nuque.

– Tes yeux ? »

Il hocha la tête.

« Je serai de retour à 6 heures, à moins que nous ne prenions un verre dehors. » Elle se pencha pour lui baiser les cheveux. Il leva le visage vers elle. Ils s'embrassèrent sur la bouche.

Dans la cuisine, elle jeta les pots et les serviettes, rinça les cuillères, les posa sur l'égouttoir. Puis elle alla dans l'entrée et ouvrit la porte. « Oh ! la clé, dit-elle.

– Garde-la, chérie », protesta-t-il en pivotant sur son fauteuil. « C'est un double. »

La main dans la poche, elle le regarda assis devant les écrans bleutés, sous la lampe à abat-jour vert océan. « *Merci*, dit-elle. Ce n'est que justice, puisque tu as celle de mon appartement.

– C'est aussi mon avis. » Il lui envoya un baiser. « J'espère que ça se passera bien.

– Merci. Tu devrais prendre un bain chaud, sinon tu vas avoir mal partout.

– Tu as raison. Je veux juste voir comment réagit Jay. »

Ils se sourirent. Elle sortit sur le palier.

Referma la porte.

Elle appuya sur le bouton d'appel, respira profondément.

Mentait-il de nouveau ? Était-il revenu parce qu'il craignait de la laisser seule ici ? Dans ce cas il ne lui aurait pas laissé la clé. Ce champion de la fabulation n'avait aucune peine à inventer des excuses...

Il avait *paru* ébranlé. Le fait de revenir aussitôt chez maman cadrait dans le schéma psychologique. Dieu merci, elle n'avait pas regardé les cassettes plus longtemps, et pensé à refermer le tiroir derrière la plinthe. Les bonnes bandes étaient en sécurité; l'envie ne lui viendrait sans doute pas d'en voir une.

Il avait dû prendre rendez-vous dans une galerie de peinture. La 57e Rue en était pleine. Pour lui acheter un Hopper ou un Magritte. Elle soupira en secouant la tête.

Elle fit un sourire à la caméra de l'ascenseur.

Elle devait rester calme et se comporter comme si elle allait effectivement rencontrer Norman et Anne Tyler. Surtout ne pas éveiller ses soupçons s'il la surveillait. Il n'était pas question d'appeler 911 [1]. Il serait

1. Le numéro de la police (*N.d.T.*).

chez elle avant même qu'ils n'aient répondu. Elle voulait à tout prix éviter une confrontation.

Felice se frotta contre sa cheville dès qu'elle eut repoussé le verrou. « Bonjour ma douce », dit-elle en la prenant dans ses bras ; elle lui baisa le bout du nez et la posa sur son épaule. Dans la chambre, le voyant rouge du répondeur clignotait – il pouvait le voir sur le masters. S'il regardait.

Elle laissa Felice sauter sur le lit et s'approcha du bureau. Un message, indiquait l'appareil. Elle appuya sur la touche Écoute, espérant que ce ne serait pas Sara.

Une employée de Bloomingdale's lui annonçait que sa table ne serait pas livrée avant deux semaines ; ils étaient désolés.

Elle alluma la radio, alla à la fenêtre. Le ciel gris sur le parc aux teintes marron. Perchée sur le rebord, Felice se frotta contre son genou. Elle lui chatouilla la tête. Un speaker parlait d'une fusillade dans le métro. Elle se dirigea vers la penderie en déboutonnant son chemisier. Ouvrit les portes accordéon.

Elle choisit la robe de lainage bleue – parfaite pour Anne Tyler, correcte pour la police. Elle l'étendit sur le lit en repoussant la chatte. Dans la commode elle prit un collant, un jupon, un soutien-gorge.

Une douche ?

Si elle n'en prenait pas, s'en apercevrait-il ? Jugerait-il cela bizarre ? Se demandant pourquoi elle décidait brusquement de s'en passer ?

S'il regardait...

Serait-il assez inquiet pour vérifier le contenu des cassettes ? Et pas seulement l'étiquette des étuis ? C'était peu probable. Mais s'il le faisait, il pouvait sans peine arrêter l'ascenseur au treizième quand elle descendrait...

Elle se déshabilla. Le speaker annonça une tourmente de neige, en provenance de l'ouest de la Penn-sylvanie. Elle éteignit la radio.

Dans la salle de bains, elle mit le bonnet de douche. Felice grattait le sable de sa caisse.

Elle s'appuya contre la paroi, pour examiner le robinet chromé Arts déco. Son jumeau au 13A ou B expliquait sûrement l'éclair sur la matraque ou la batte de base-ball. La police y découvrirait des entailles microscopiques.

Elle testa la chaleur de l'eau, augmenta le débit.

Pénétra à l'intérieur de la cage vitrée, referma la porte.

Elle se lava en vitesse. Le Pete qu'elle avait aimé – et aimait encore, malgré la haine et la pitié qu'elle éprouvait pour lui – était l'homme qui avait porté ce coup fatal à Sheer avant de le noyer sur le sol...

Il avait dû passer des heures à remettre les choses en ordre et à tout nettoyer – sans oublier d'enregistrer la scène. Un événement majeur – le soir qui avait précédé la glorieuse matinée où elle avait rencontré Sam sur le chemin du réservoir; il serait stupéfait d'apprendre toute l'histoire. Un changement de lumière derrière la paroi vitrée?

Elle essuya la buée pour regarder – la salle de bains était déserte.

Son imagination.

Elle se rinça calmement. Elle avait rendez-vous avec Norman et Anne Tyler. June aussi, bien entendu.

Elle ouvrit la porte, attrapa sa serviette.

Se sécha, enleva le bonnet qu'elle suspendit; il n'y avait aucun objet près du tapis de bain.

Elle finit de s'essuyer devant la glace du lavabo; elle regardait son image au lieu du plafonnier.

Dans la chambre, elle s'assit sur le lit pour enfiler son collant; puis se leva pour l'ajuster. Elle mit le soutien-gorge, disposa ses seins dans les balconnets, puis se pencha à la fenêtre en l'agrafant.

Elle contempla le ciel gris. Il allait sûrement neiger. Un grand vent soufflait sur le réservoir, de rares joggers couraient sur le chemin.

Elle tira les rideaux de chintz vert et blanc qui frôlèrent le rebord où était posé le télescope.

Dans la salle de bains, elle se maquilla légèrement. Elle aurait dû dire qu'elle devait aider Roxie à transporter un meuble...

Elle songea au chaos futur, au procès, aux piranhas des médias impatients de s'attaquer à Pete mais aussi à elle, la femme mûre séduite par un homme beaucoup plus jeune. La sympathie hypocrite du public lui répugnait d'avance, les grimaces dans son dos. Elle eut terriblement envie de parler à Roxie. (« J'ai un problème, Rox, Pete est un assassin. ») Elle entendit des sirènes qui hurlaient dans Madison.

Le bruit se rapprocha, des klaxons retentirent, juste devant l'immeuble ; les moteurs continuaient de tourner, le vacarme diminua.

Elle alla dans le séjour en se brossant les cheveux. Elle posa une main sur le châssis bronze du milieu ; le front appuyé contre la vitre.

Elle entrevit des gyrophares, des camions de pompiers devant le *Wales*, des minuscules silhouettes qui s'engouffraient dans le sous-sol.

Elle étudia la façade éclairée de rouge, le toit. Il n'y avait ni flammes ni fumée.

Une fausse alarme, espérait-elle. Parfait, cela le distrairait.

Elle tira les rideaux de soie blanche.

Puis retraversa le séjour, avec un détour dans la cuisine pour refermer le robinet.

Elle se rendit compte, en achevant de se coiffer dans la salle de bains, que cette affaire allait inspirer des écrivains – Diadem ne possédait aucun auteur de thriller digne de ce nom, c'était vraiment dommage. Pourtant... en tant qu'actrice principale du drame elle allait se trouver en bonne position pour négocier. Si elle réussissait à convaincre un grand nom...

Il valait mieux voir les choses du bon côté...

Elle alla dans la chambre, ramassa son jupon. Le téléphone sonna. Elle décrocha le poste sur la table de nuit. « Allô ? » dit-elle, prête à couper Sara.

« Bonjour.

— Bonjour. Quelle excitation dans l'immeuble d'en face !

— C'était une fausse alarme.

— Que se passe-t-il ?

— Kay... je ne peux pas te laisser sortir, ni téléphoner... »

Elle se cramponna au combiné. « De quoi parles-tu ?

— Oh ! chérie, je t'en prie... Tu sais, les cassettes. Écoute. »

Elle écouta.

Un chat ronronnait dans l'appareil.

Elle considéra les rideaux, la porte.

Elle n'avait pas vu Felice depuis... avant sa douche.

Elle inspira, puis s'assit sur le bord du lit. « Pete, ne lui fais pas de mal, dit-elle.

— Elle est couchée sur mes genoux et je lui chatouille les oreilles avec un cutter. Tu sais ce que c'est, n'est-ce pas ? Comme un stylo, avec une lame de rasoir au bout ; je m'en suis servi pour les étiquettes. L'oreille rousse, hop... l'oreille blanche, hop...

— Pete, s'il te plaît...

— Je ne veux pas la blesser mais si tu ne fais pas exactement ce que je dis, je n'hésiterai pas. J'ai besoin de temps pour réfléchir.

— Parfait. Je t'accorde tout le temps que tu vou-

174

dras. » Elle se retourna pour lever les yeux vers le plafonnier. « Ne touche pas à Felice, c'est tout, je sais que tu ne le feras pas, tu l'aimes trop. » Elle regardait l'iris chromé de la lampe, et son image à l'envers sur le lit, un minuscule téléphone blanc contre l'oreille.

« Si tu m'y obliges je devrai m'y résoudre, Kay, je te l'assure.

— J'attendrai le temps qu'il faudra.

— Tu allais à la police. Si j'étais rentré cinq minutes plus tard ces *sirènes* auraient été pour moi.

— Je ne sais pas ce que j'avais l'intention de faire. Je voulais sortir et penser, sans être observée.

— Ne me raconte pas de conneries, Kay. Tu voulais porter ces cassettes aux flics, c'est pourquoi tu les as changées de place.

— Je voulais les cacher quelque part dans mon appartement. Je ne savais pas *quoi* faire. Te parler... te demander pourquoi tu as agi ainsi, essayer de comprendre, mais j'avais peur. J'ai pensé que peut-être les cassettes me donneraient une marge de sécurité. C'est pourquoi je les ai déplacées.

— Tu vas m'obéir, sinon Felice y a droit. Je sais quelle bande tu as regardée et jusqu'où, tu as oublié de la rembobiner, aussi tu sais parfaitement de quoi je suis capable, n'est-ce pas ?

— Oui, dit-elle au plafonnier.

— J'ai besoin de temps pour réfléchir. Tu peux t'habiller et travailler – sur le lit, je te vois mieux. Si le téléphone sonne, n'y touche pas, le répondeur s'en chargera. Tu ne décroches que si c'est moi. Vu ?

— Oui.

— Le répondeur est-il branché correctement ?

— Oui.

— A plus tard. Mets ton jean, ou ce que tu veux.

— Tu as vraiment eu un accident de taxi ? demanda-t-elle.

– Non. J'ai brusquement imaginé ce que tu étais en train de faire. Tu sais où j'allais ? T'acheter un Hopper. Et voilà où nous en sommes.

– A qui la faute ? dit-elle au plafonnier.

– Comment, tu t'es mêlée de ma vie privée, non ? Très ironique, n'est-ce pas ? Cela nous met plus ou moins à égalité. Allez, habille-toi. Et souviens-toi, tu ne décroches que si c'est moi. Je t'interdis de te lever sans demander la permission. Ne fais rien qui... risque de provoquer un drame. Je ne te quitte pas des yeux. »

Plus ou moins à égalité...

A part quelques meurtres et la menace d'un cutter sur la tête de Felice – s'il ne mentait pas de nouveau.

Probablement pas, considérant le traitement qu'il avait réservé à Sheer.

Elle frissonna. Fit semblant de se concentrer sur le livre qu'elle tenait. Du calme...

Tant qu'il acceptait de parler et de réfléchir, la situation se résoudrait facilement – personne ne serait blessé, ni elle, ni Felice, ni lui non plus. Il ne pouvait faire passer son assassinat pour un accident ou un suicide, si peu de temps après la mort de Sheer. Étant son amant, il devenait le suspect n° 1. On découvrirait qu'il possédait l'immeuble, le 13B serait fouillé de fond en comble – les écrans, les caméras... L'enquête serait rouverte sur toutes les morts des trois dernières années. Il le savait sûrement, elle le lui prouverait. Sa seule chance était de se rendre à la police, d'engager un de ses avocats superstars, de plaider la folie...

Et si justement il était trop fou pour comprendre ?

Si elle s'enfuyait il l'arrêterait, dans les escaliers ou l'ascenseur. Si elle appelait la police ou jetait une chaise par la fenêtre, il serait le premier arrivé, avec son passe-partout...

Felice ronronnait sur ses genoux...

Il *existait* sûrement un moyen de déjouer ses plans s'il refusait d'entendre raison.

Se concentrer sur un roman gothique...

Il la regarda tandis qu'elle feignait de lire.

Elle se demandait – incroyable mais vrai – comment le convaincre de l'accompagner au commissariat du quartier pour tout avouer à la police. Plaider la folie.

Pourquoi avait-il fallu qu'elle mette son nez dans son tiroir secret ? Ils étaient si heureux et d'un seul coup... plus rien.

Il savait ce qui lui restait à faire, qu'il le voulût ou non.

Elle ne lui laissait pas le choix.

Mais comment ?

Il n'avait pas une chance de s'en tirer avec un faux accident ou un suicide, si peu de temps après Rocky. Dès l'instant où la police soupçonnerait un meurtre, il deviendrait le suspect n° 1, le petit ami ou le mari n'échappait jamais à ce rôle (n'est-ce pas, papa ?). Tout serait découvert...

A moins que...

Les flics ne croient qu'un autre l'avait tuée... Qu'ils en soient *persuadés*...

Il regarda vers la gauche.

Appuya sur la touche 3B du haut, le bouton 1.

Felice remua sur ses genoux, puis sauta sur le sol qu'elle se mit à renifler.

Il posa le cutter sur la console, mangea quelques bonbons.

Il se renversa dans son fauteuil en étudiant les masters.

Sam sur le 1, elle sur le 2...

Il lui fallut une minute pour trouver la solution. L'idée générale, pas les détails.

Deux questions essentielles : pouvait-il la laisser sans surveillance quinze à vingt minutes pendant que Sam allait voir la pièce de Candace ? Se tiendrait-elle tranquille jusqu'à demain soir ? Il ne serait pas en mesure d'exécuter son plan avant ce moment-là.

S'il y parvenait, il était sauvé. Un crime parfait, sans bavures. D'une pierre deux coups...

Il les regardait.

Sam sur le 1, en train de taper sur sa vieille machine portative. Kay sur le 2, qui tournait les pages...

TROIS

11.

Elle referma le livre, enleva ses lunettes, leva les yeux vers le plafonnier. « Je voudrais aller me faire un café dans la cuisine », dit-elle.

Elle considéra la lampe, puis le roman sur le lit.

Le téléphone sonna.

Elle se tourna vers la table de chevet – le réveil indiquait 4 h 22.

Elle rangea le livre sur la pile par terre, se redressa. Le voyant se mit à clignoter sur le répondeur posé sur le bureau. Elle se peigna avec les doigts. « Bonjour, dit sa voix. Je ne peux pas vous répondre pour l'instant, mais si vous me laissez un message après le signal sonore, je vous rappellerai dès que possible. Merci. »

Le bip retentit.

« C'est moi. »

Elle décrocha. « Je peux ?

– Attendons la fin du message. »

Elle soupira, regardant les rideaux, le bureau, le plafonnier. Kay en miniature et son téléphone...

Bip...

« Oui, je te le permets. Ne raccroche pas, laisse l'appareil sur le lit. Je ne peux pas te voir là-bas mais je garde un œil sur l'entrée. Si tu décroches l'interphone je verrai Terry te répondre dans la loge ; dès qu'il dira " Bonjour, miss Norris ", je coupe l'oreille de Felice, et s'il...

– Laisse tomber, dit Kay, je vais boire un verre d'eau dans la salle de bains, j'imagine que c'est autorisé.

– Si tu veux un café, fais-le, mais ne touche pas à l'interphone, c'est tout.

– Je n'en avais pas l'intention, dit-elle.

– Vas-y. »

Elle posa le combiné et se leva du lit.

Dans la cuisine, elle appuya sur l'interrupteur. Les néons vibrèrent avant de s'allumer, éclairant les bols d'eau et de nourriture sur le sol, la planche à gratter.

Le téléphone mural, l'interphone...

Elle remplit la bouilloire d'eau, la posa sur un des brûleurs, puis versa une cuillerée de café soluble dans la tasse avec un K marron.

Elle attendit devant la cuisinière, jeta un coup d'œil à la planche à couteaux.

Elle revint dans la chambre, reprit le téléphone en s'asseyant sur le lit.

« J'en ai fait aussi.

– Comme c'est charmant, dit-elle. Nous allons bavarder aimablement autour d'une tasse de café... » Elle but une gorgée.

« Chérie, je suis désolé, j'ai besoin de temps. Je ne sais pas quoi faire... »

Elle changea de position, repliant une jambe sur le lit, puis elle leva les yeux vers le plafonnier et secoua la tête avec un soupir. « Oh ! Pete... Tu craignais qu'il ne découvre les caméras... Sheer ? »

Elle fixait l'iris chromé. « C'est pour cela, Petey ?

– Oui. Il avait rendez-vous dans la salle d'exposition de Takai. Il aurait vu l'une des lampes, ou une photographie, donné l'alerte...

– Et les autres morts auraient été réexaminées... »

Elle fixait le plafonnier, le téléphone dans une main, la tasse dans l'autre.

« Je ne pense pas que je devrais t'en parler. Tu es capable de tout répéter au tribunal.

– Petey, dit-elle, tu sais que tu ne peux pas continuer – après tout ce que tu as fait. Tu vas être pris tôt ou tard, et le plus tard sera le pire.

– Tu veux que je me livre à la police...

– Oui, je pense que c'est une solution raisonnable. Cela jouerait en ta faveur, et tu peux te permettre d'engager l'un des meilleurs avocats. Ils se battront pour te défendre, ils recherchent tellement la publicité.

– Ah oui, je vois. Tu imagines le tableau ? »

Elle soupira, haussant une épaule. « Je pense que c'est la meilleure chose qui te reste à faire. La seule.

– Je pourrais sauter par la fenêtre.

– Ne dis pas cela, chéri », s'écria-t-elle en se penchant en avant. « Si tu as fait tout cela uniquement à cause des caméras... c'est vrai, n'est-ce pas ? Finalement. » Elle regarda le plafonnier.

« Oui...

– Chéri, je suis *sûre*, en repensant au comportement de ta mère et au reste... qu'un bon avocat pourrait convaincre un jury... plaider la folie...

– Tu veux dire que je passerais le reste de ma vie dans un hôpital ? Dans la même chambre que Hinckley [1] ?

– Pas *toute* ta vie, peut-être juste quelques années si tu te livres à la police. Tu es jeune, tu as encore un ave-

1. John Hinckley a essayé d'assassiner Gerald Ford par amour pour Jodie Foster (*N.d.T.*).

nir. Et tu seras vivant. Ne parle pas de sauter par la fenêtre, ce serait *vraiment stupide*.

— Oh... merde. Il faut que je réfléchisse. C'est une décision difficile...

— Bien sûr. Prends ton temps. Je n'ai pas l'intention de sortir ce soir. » Elle sourit. « Pourquoi ne ramènes-tu pas Felice ici. Elle doit avoir faim.

— Non, je la garde ici. Tu n'as pas à décider à ma place. Je suis assez grand pour cela.

— Très bien, je comprends.

— J'ai des choses à manger pour elle. Pour l'instant elle s'amuse bien, elle est en train de renifler tout l'appartement. J'ai mis des journaux dans la douche.

— Elle risque d'avoir des problèmes dans le débarras.

— Je l'ai fermé. Elle se porte à merveille — tant que tu ne me pousses pas au pire, Kay. Je ne plaisante pas.

— O.K., dit-elle au plafonnier, avec un signe de tête.

— Tu n'as pas besoin de rester sur le lit. Tiens-toi à distance des téléphones, des fenêtres et de la porte. Je te rappelle plus tard. Attends d'être sûre que c'est moi pour décrocher. » Un déclic, puis la tonalité.

Elle reposa le combiné.

Les yeux fixés sur sa tasse.

La neige avait commencé à tomber. Les gens essuyaient leurs épaules en pénétrant dans le hall.

Il regarda Sam qui enfilait son duffel-coat. Kay, assise à droite du canapé, les genoux serrés contre sa poitrine, les pieds nus sur le velours. Elle grignotait une branche de lunettes, le manuscrit posé à côté d'elle.

Il ouvrit un gâteau chinois et déplia le petit papier à la lueur bleutée des masters. *La transpiration est l'essentiel de l'inspiration.*

Très juste, Jolly Chan. Il le froissa, puis le jeta sur l'assiette.

Mangea un morceau du biscuit, en regardant Sam qui sortait par la porte de l'escalier, traversait le tapis sombre de l'entrée et disait quelques mots à Walt, près de la porte.

Kay posa ses lunettes sur la table basse. Elle leva les yeux vers lui, poussa un soupir. « Appelle-moi, tu veux bien ? Je pense que tu connais le numéro. »

Il décrocha le téléphone, appuya sur la touche de fonction et sur 1.

Il entendit les bip, puis la sonnerie occupée. Quelqu'un l'appelait. Elle tendit la main, la reposa en le regardant.

Il raccrocha son appareil pour brancher l'écoute.

Elle jouait avec un bouton de sa chemise. Bon angle pour le décolleté... « Bonjour, je ne peux pas vous répondre pour l'instant, mais si vous me laissez un message... » Bon éclairage aussi.

Bip.

« Salut, c'est Roxie. Tu es là ? »

Elle se rassit, une main sur le dossier du canapé, la tête penchée vers l'entrée.

« Fini la partie de patinage, Fletcher doit partir pour Atlanta. A moins que vous ne veniez de toute façon. Si vous en aviez envie. Fais-moi signe. Au revoir. » Un baiser. Le déclic de l'appareil.

Elle leva les yeux. « Pete ? »

Il décrocha, effleura la touche de rappel.

Elle baissa la tête, puis resta immobile.

Le téléphone se remit à sonner.

Elle s'appuya au bras du canapé, tendit les jambes, croisa les chevilles. Jouant avec son bouton de chemise pendant le temps du message. Le jean moulait ses hanches et ses cuisses, le V entre...

Bip.

« *C'est moi* », dit-il.

Elle prit l'appareil, s'adossa.

Ils attendirent.

Bip.

« Bonjour..., dit-elle en le regardant ;

– Bonjour. »

Elle soupira. « J'ai pensé à ce que cela serait. La publicité. Les piranhas. Pendant les mois interminables du procès, et après... Les grimaces de tous les gens du bureau dans mon dos. La réaction de mes amis... Les années que tu perdras en prison ou dans un hôpital psychiatrique... » Elle soupira. « Plus j'y pense, plus cela me paraît abominable. » Elle le regarda.

Il la surveillait.

« Chéri, j'ai une idée. qui peut nous sortir de ce pétrin.

– Ah bon ?

– Arme-toi de courage. Tu vas être surpris, mais je pense que nous devrions envisager sérieusement cette solution.

– Je suis prêt.

– Et si on se mariait ? »

Il la regarda stupéfait. « Tu as raison, dit-il. Je ne m'y attendais pas.

– Entre autres choses, cela me soulagerait parce que je n'aurais plus ce sentiment de devoir parler. Les époux ne sont pas tenus de témoigner l'un contre l'autre, ni de se dénoncer, n'est-ce pas ? Ce n'est pas comme si tu étais un assassin furieux qui tue pour le plaisir ou sur une impulsion, et qui soit prêt à récidiver. Tu étais menacé, tu te défendais, tu avais un motif rationnel. Du moins je suppose que c'était le cas. Corrige-moi si je me trompe.

– Continue...

– Naturellement, il y aura des conditions préétablies bien précises, la première étant la fermeture totale et immédiate du système, sans discussion – de ma part comme de la tienne. Nous devons reconnaître qu'il existe *toujours* le risque que quelqu'un le découvre et devienne une menace.

– Et la seconde ?

– Je ne sais pas. Je n'y ai pas encore réfléchi. Écoute, Pete, aurons-nous jamais la chance de rencontrer un partenaire aussi formidable ? Songe au plaisir que nous avons à être ensemble, à faire l'amour... Tu es toujours *toi*, quoi qu'il arrive ; je ne peux pas changer de sentiments comme cela. Et j'ai analysé mes propres réactions. Ne crois pas que je sois indifférente à l'argent, c'est tout à fait faux. La condition n° 2 sera sans doute que nous prenions un grand appartement dans Park Avenue avec trois domestiques. Qu'en penses-tu ?

– Beau programme... Mais comment puis-je être certain que tu dis la vérité ? Peut-être que tu essaies de me manipuler. Et si tu te mets à appeler la police dès la seconde où nous sortons d'ici ? »

Elle soupira, jouant avec le bouton de sa chemise. « Je suppose que tu es obligé d'envisager cette possibilité. C'est vrai, ma première réaction a été de chercher une ruse quelconque. Mais, Pete, plus je pense aux médias, au procès – ce serait le plus important depuis des années – et la peine que tu aurais à subir... A quoi bon ? Ce qui est fait ne peut être *défait*. Si je ne me suis pas sentie tenue de dire... » Elle soupira en secouant la tête. « Non, je ne te manipule pas, chéri. Toutes les femmes ne sont pas des actrices. Si tu y réfléchissais sérieusement ? D'un autre côté cela signifie que tu devras t'habituer à l'idée d'avoir des chats, et non des enfants...

– C'est un plus », dit-il.

Elle décroisa ses chevilles, leva un genou et le regarda, le téléphone contre la joue. « Que voulais-tu m'offrir ? demanda-t-elle. Un dessin ?

– Un tableau. Ils en ont deux à me montrer.

– Moi aussi je voulais *te* donner une peinture, observa-t-elle. Ou une très belle photographie...

– Tu as de quoi manger ? l'interrogea-t-il.

– Mmmmm... Je suis au régime.

– Felice a eu des crevettes avec de la sauce au homard.

– Bien, tu vas la gâter...

– Elle dort sous la console. Avec le cochon. »

Elle sourit et se frotta le cou. « Oooh ! s'écria-t-elle avec un tressaillement, je suis affreusement *crispée*...

– Et si tu prenais un bain ? »

Elle sourit. « Bonne idée.

– Nous parlerons après.

– Entendu. »

Elle le regardait.

Ils raccrochèrent.

Il se prépara en même temps qu'elle.

Relut la lettre, remplaça le mot *amant* par *étalon*, plia la feuille et la fourra dans la poche droite de son pantalon. Elle faisait couler l'eau, préparait un bain moussant.

Il ouvrit le tiroir du bas à gauche, trouva la boîte de gants en plastique ; il en arracha une paire au rouleau, la glissa dans sa poche de gauche. Vérifia qu'il avait ses clés et de la monnaie.

Elle mit une cassette dans l'appareil de la chambre. La guitare de Segovia retentit.

Il la regarda se déshabiller.

Sans un coup d'œil dans sa direction.

Comme si personne ne pouvait la voir dans sa chambre confortable.

Comme autrefois. Mais maintenant elle savait...

Rien de plus excitant...

Pour elle aussi?

Peut-être ne cherchait-elle *pas* à le tromper, avec ses superbes seins?

Les médias la traiteraient durement à cause de la différence d'âge... Et qui a envie d'être pauvre?

Allons, imbécile.

Il déchira l'enveloppe en plastique d'une cassette, la mit en place et brancha le magnétoscope – quand elle apparut sur le seuil de la salle de bains, vêtue de son peignoir court en satin. Elle le regarda, une main sur l'interrupteur. La lumière baissa.

Puis augmenta légèrement tandis qu'elle levait les yeux vers lui. En souriant? Elle ferma le robinet de la baignoire et fixa les cheveux de sa nuque avec des épingles.

Il contrôla les moniteurs du 3B et du 3A. Susan la folle regardait la télé dans le séjour, un plateau sur les genoux.

Il parcourut des yeux les rangées d'écrans bleutés. Rien d'important.

Elle retira son peignoir, leva une jambe, posa un pied dans la mousse.

Il regardait...

Il vérifia l'heure sur sa montre et sur l'horloge – 19 h 50. Il s'assura qu'il n'y avait personne dans le hall et sortit.

Il ouvrit la porte du palier de l'escalier, éclairé par un tube fluorescent.

Une main sur la rampe, il leva les yeux vers le vingtième étage.

Pas de doute, elle essayait de le manipuler.

Il se hâta de descendre les demi-étages en zigzag, effleurant à peine les marches en béton gris.

Il ouvrit les trois séries de portes pliantes, fouilla les placards en désordre à l'autre bout de la pièce – des chaussures et des valises sur le sol, les étagères du haut bourrées de boîtes et de sacs, les piles de livres de poche.

« *J'en ai moi-même un dans mon armoire* », avait dit Sam en distribuant les cartes quelques semaines après son emménagement. « *Une fois un mari jaloux a mis ma tête à prix. Sérieusement, ce ne sont pas des conneries. Un veuf jaloux; elle était morte. Une actrice que j'avais sautée pendant des années. Mais je suis toujours pour leur interdiction.* »

Il s'en souvenait.

Il trouva le revolver à sa seconde tentative, dans un sac de voyage à fermeture Éclair, enveloppé dans une serviette blanche de motel qui sentait l'huile – un automatique en acier bleu avec l'inscription *Beretta U.S.A.*, la crosse vide. Deux chargeurs au fond du sac, l'un plein de balles, l'autre avec deux cartouches au fond.

Il souleva le revolver dans sa main gantée. Encore un héritage de son père, d'une certaine manière. Il le fourra dans la ceinture de son jean, tira son chandail par-dessus, le tapota. Il glissa le chargeur plein dans sa poche gauche.

Il referma le sac avec la serviette et l'autre chargeur, et le rangea dans le placard, sur l'étagère; il l'ouvrirait quand il descendrait ensuite pour mettre la lettre à côté de la machine à écrire.

Il referma les portes pliantes, laissant entrouverte celle qui était la plus proche de l'entrée.

Assis à la table du séjour, il contrôla sa montre – 19 h 57 – et étudia la façon de taper de Sam sur les dernières pages de l'épais manuscrit. Il ne lut pas les mots. Le nom *Thea* s'y trouvait. Après, il emporterait ces feuillets, personne ne les regretterait.

Certaines lettres étaient plus foncées que d'autres – les B, les N et les H. Quelques-unes étaient rayées avec des X.

Il sortit son brouillon. Glissa une feuille dans la vieille Remington.

Imita le style de Sam en tapant sur les touches rondes avec ses doigts gantés de plastique.

Le quatrième essai fut le bon :

A tous ceux que cela peut concerner :

Kay Norris m'a fait certaines promesses qu'elle a décidé de ne pas tenir. Je vais lui donner encore une chance de quitter son jeune étalon.

Si vous lisez ceci, cela signifie qu'elle a refusé.

Je lui ai fait une promesse. Je tiens mes promesses.

S.Y.

Il s'accroupit près des rayonnages, prit l'un des grands livres rangés horizontalement sur l'étagère du bas – *Classics of Silent Screen* ; il y glissa la feuille de papier, sur un portrait de Pauline attachée aux rails d'une voix ferrée. Il remit l'ouvrage à sa place.

Il essuya la poussière de ses mains, contrôla l'heure – 20 h 6. Il était sorti depuis seize minutes. Pas de panique. Elle passerait une demi-heure dans son bain – la mousse, Segovia...

Il plia le brouillon et les trois premiers essais, les glissa dans sa poche. Replaça le couvercle sur la machine, posa le dictionnaire sur le manuscrit, remit la chaise et la lampe là où elles étaient, éteignit la lumière.

Il resta sur le seuil, une main sur l'interrupteur de l'entrée, l'autre sur le revolver, jetant à la pièce un dernier regard – ses meubles bon marché étaient encore plus laids qu'à la télé.

Il éteignit, entrouvrit la porte.

Quelqu'un attendait devant le 3A.

Susan ouvrit, compta les billets, prononça une phrase et disparut.

L'homme prit l'ascenseur.

Pete s'élança en bas des escaliers en retirant ses gants – 20 h 11.

Il appuya sur le bouton d'appel dans le sous-sol et entra dans la laverie. Denise et Allan se retournèrent. Il les salua de la tête, s'approcha des machines.

Denise et Allan ? Il avait perdu le fil. Ils s'écartèrent quand il glissa des pièces dans le distributeur. Il acheta des chips et quelque chose pour Felice, puis se hâta vers l'ascenseur n° 2 qui arrivait.

Il monta au treizième.

Ouvrit la porte.

Elle était dans sa baignoire sous une montagne d'écume, la tête posée sur le rebord, les yeux fermés.

Il s'assit dans le fauteuil sans la quitter des yeux. Il posa le revolver sur la console.

Felice sauta près de lui, elle renifla l'arme, l'enjamba et fit rouler le cutter. Il le rattrapa de justesse. « Merci », dit-il.

Il posa son paquet de chips et déchira l'emballage de la bouchée pour chats, grosse comme le pouce ; il la tendit à Felice qui la flaira prudemment, et la lança derrière lui. La chatte bondit sur le sol.

Il augmenta un peu la lumière.

Glissa le cutter dans un tiroir.

S'adossa pour la contempler ; du pied, il chercha le cochon sous la console.

« C'est moi », dit-il.

Elle décrocha le téléphone et le coinça contre son

épaule, assise en tailleur sur le lit dans un pyjama pâle. Elle plongea sa cuillère dans le récipient de glace, et la lui tendit en souriant.

Bip.

« Non merci, dit-il, je bois une vodka-tonic. » Il fit tinter le glaçon dans son verre, avala une gorgée.

Elle mangea en le regardant. « Que célébrons-nous ? demanda-t-elle.

— Je ne sais pas, répondit-il. J'ai besoin de temps pour réfléchir. Je te le dirai demain matin.

— C'est idiot de gaspiller une belle nuit... » Elle lui lança un regard charmeur.

« Pour moi, ce n'est pas du gaspillage... A demain.

— Je t'aime, chéri, dit-elle. Ne fais pas de bêtise.

— Toi non plus. »

Le lendemain matin il expliqua qu'il lui fallait encore du temps.

« Je ne vois pas pourquoi.

— Parce que je pense encore que tu veux me manipuler, voilà tout.

— Tu te trompes », dit-elle allongée sur le dos, les yeux fixés sur le plafonnier, glissant le fil du téléphone entre ses seins.

« Alors *aie confiance*. Jusqu'à ce soir. Je t'apporterai Felice saine et sauve, je te le promets. Je dois parler à mon avocat de certaines choses et j'ai beaucoup de mal à le coincer. Il se trouve à Vail, dans le Colorado.

— Je dois faire des courses, dit-elle.

— Tu peux attendre demain. Il neige, de toute façon. Énormément. Personne ne va dehors.

— Je veux appeler Roxie, Wendy...

— Surveille ce que tu dis.

— Je ne veux pas que tu écoutes !

– Alors tu le feras demain! »

Elle raccrocha, s'assit sur le lit. Elle fit une grimace au plafonnier.

Elle se leva et s'approcha de la fenêtre, tirant sur le cordon des rideaux avec les deux mains.

Les bras croisés, elle regarda les flocons qui tournoyaient, le parc tout blanc, le toit à clochetons couvert de neige, les jardins.

Le rebord de fenêtre vide, avec seulement le télescope.

« Bonjour, Mr. Yale, dit-il. Je m'appelle Pete Henderson. Je suis un ami de Kay Norris, nous venons à votre soirée vendredi prochain..

– Bien sûr », répondit Sam sur le 1, debout près de la table du séjour, le téléphone contre la joue. « Nous avons parlé dans l'ascenseur.

– C'est juste, j'habite le 13A. Je vais vous expliquer la raison de mon appel. J'ai découvert hier soir que c'est aujourd'hui l'anniversaire de Kay.

– Oh?

– Son amie Roxie et moi nous organisons une petite fête impromptue en son honneur. » Il la regarda passer l'aspirateur dans la chambre, sur le 2. « A 21 heures. Chez elle. Chez Kay, je veux dire. Une douzaine de personnes. Je sais qu'elle sera heureuse de vous y voir...

– Moi aussi, s'écria Sam. Merci à vous...

– C'est l'appartement 20B. Pouvez-vous venir à l'heure? La logistique est assez compliquée.

– 21 heures précises, dit Sam.

– Merci. A ce soir.

– Merci *encore*, insista Sam. Ce sera agréable de parler d'autre chose que du temps.

– Vous avez raison, répondit-il en souriant. 20B, à 21 heures. »

Ils raccrochèrent.

Il respira profondément, caressa Felice qui dormait sur ses genoux.

Sur le 1, Sam décrocha son téléphone.

Le bip retentit. « Salut Jerry, c'est Sam. Je ne pourrait pas venir ce soir finalement. J'espère que ça ne vous gênera pas trop. Peut-être que Milt peut me remplacer. A bientôt. »

Il reposa le récepteur et s'approcha de la fenêtre.

Un chasse-neige dégageait l'avenue, recouvrant d'un rempart blanc les voitures garées en face. Charmant pour les conducteurs quand ils reviendraient.

Il essaya d'imaginer un cadeau pour elle, un objet qui, sans être trop coûteux ni personnel, serait un choix infiniment plus judicieux que celui du jeune Pete Henderson.

Pourquoi ce nom lui rappelait-il quelque chose ?

Bien sûr... C'était le nom du mari de Thea. Son fils ne s'appelait-il pas Peter ? Oui...

Très ordinaire. *Pete Henderson.*

Tout paraissait concorder... L'âge, les cheveux auburn et les yeux bleus de John Henderson...

Quelle coïncidence... le fils de Thea. Naturellement, il sortait avec des femmes qui lui ressemblaient, Kay surtout, Naomi Singer beaucoup moins...

Était-ce possible ? Kay le savait-elle ? Qui lui avait parlé des maillots de bain et des robes d'été dans la valise ? Pete Henderson ?

Il le lui demanderait, une fois passé le moment de surprise de la soirée.

12

Debout près de la table basse, elle leva les yeux vers le plafonnier. « Ça suffit », dit-elle à son image renversée en tennis, jean et col roulé bordeaux. « Merde, il est 8 heures et demie du soir. Je deviens claustrophobe. Allons manger un hamburger quelque part. Ne m'appelle pas, prends juste ton... » A ce moment une clé tourna dans la serrure. Il entra avec Felice qui miaulait dans ses bras. « Bonjour », dit-il. La chatte sauta sur le sol.

Elle ferma les yeux pour respirer.

L'animal se précipita dans la cuisine.

« Hé! idiote, attends », s'écria-t-elle en la suivant. Felice se retourna. Elle se baissa pour la prendre contre son épaule, flairant la fourrure tigrée, puis la reposa sur le carrelage. « Quand lui as-tu donné à manger la dernière fois? demanda-t-elle en allumant.

— Il y avait des trucs qui traînaient.

— Quoi, un pâté impérial? » Elle ouvrit le placard, prit une boîte. Felice miaulait. « Patience », dit-elle, en fouillant dans le tiroir. Elle jeta un coup d'œil à Pete qui se tenait sur le seuil. « Salut.

– Salut. » Il sourit et regarda autour de lui, les mains dans les poches de son jean, une large veste de tweed verdâtre boutonnée à la taille sur une chemise bleu clair. « On dirait *ma* cuisine », dit-il.

Des assiettes sales empilées dans l'évier, des ustensiles et des boîtes sur le comptoir, un torchon sur la planche à couteaux.

« Imagine-toi, répondit-elle en ouvrant la boîte, que depuis une trentaine d'heures je ne suis pas au mieux de ma forme. C'est un joli tweed.

– Ancien.

– Tu as parlé à ton avocat ? » Elle s'accroupit pour remplir le bol de Felice.

Elle leva les yeux vers lui. Il secoua la tête.

« Qu'est-ce que tu as décidé ? demanda-t-elle.

– Allons dans le séjour. »

Elle jeta la boîte dans la poubelle, la cuillère dans l'évier. « Et si on allait manger un morceau à Jackson Hole ? proposa-t-elle. J'étouffe, ici.

– On va parler d'abord. D'accord ? »

Elle rinça l'écuelle d'eau et la remplit, puis s'approcha pour déposer un baiser sur ses lèvres. « Tu veux un verre ? »

Il secoua la tête.

Ils entrèrent dans le séjour, main dans la main.

Elle s'assit sur le canapé, il s'approcha de la fenêtre.

Du doigt, il écarta les rideaux de soie blanche. « Il neige de nouveau.

– Je veux quand même sortir », dit-elle en l'observant, appuyée contre le bras droit du sofa, une jambe repliée, une main posée sur le genou.

Il revint vers elle, s'arrêta près de la table basse. « Chérie, dit-il avec un soupir, je donnerais n'importe quoi pour te croire. Sincèrement. Mais je serais surpris que tu oublies des *meurtres*, surtout quand tu as connu l'une des personnes concernées – même brièvement.

– Tu sous-estimes ce que tu représentes pour moi, répondit-elle sans le quitter des yeux, et l'horreur que m'inspire ce genre de publicité. Je ne prétends pas éprouver un bonheur sans ombre, et ne jamais plus penser à tout cela. » Elle haussa les épaules. « C'est la meilleure solution, de mon point de vue, et du tien aussi. A moins que tu ne refuses d'épouser une femme de mon âge.

– Oh, qu'est-ce que tu racontes... » Il recula pour s'asseoir au bord du fauteuil. « Non, poursuivit-il en secouant la tête, tu avais peur que je saute par la fenêtre et tu voulais récupérer Felice. » La chatte accourut sur le tapis en agitant la queue. « Parfait, elle entre en scène juste au bon moment. Je l'ai dressée pour ça. »

Felice s'installa sur le coussin sous la fenêtre, se léchant une patte pour se laver la figure. « J'ai eu beaucoup de plaisir à l'avoir. »

Ils échangèrent un coup d'œil.

« Que dois-je faire pour te convaincre que je suis sincère ? demanda-t-elle.

– Rien. » Il déboutonna sa veste, croisa les mains entre ses genoux.

« Tu vas te livrer à la police ?

– Pour passer le reste de ma vie dans un asile de fous ? Si j'ai de la chance ?

– Pas toute ta vie, dit-elle.

– A regarder la télé dans la salle commune... » Il sourit. « A me disputer avec les autres cinglés pour choisir la chaîne... Sûrement pas. » Il courba la tête en se frottant les cheveux.

Elle le regardait, une main sur le genou. « Tu sais, Pete, si... quelque chose devait m'arriver, même si cela ressemblait à un accident ou un suicide, ou un cambriolage... maintenant, si peu de temps après la mort de Sheer...

– Je sais, répondit-il. Je serais le suspect n° 1. »

Elle se pencha vers lui. « Chéri, écoute-moi. Avec un bon avocat tu seras sorti beaucoup plus tôt que tu ne le crois, et tu peux t'offrir le meilleur, n'est-ce-pas ? Le tribunal tiendra compte de tes actions généreuses, de l'argent tu as envoyé aux gens. Et le fait que tu te sois livré de ton plein gré *jouera* en ta faveur, je peux te l'assurer. Honnêtement, chéri. »

Il releva la tête pour la regarder.

« Ce ne sera pas si terrible, continua-t-elle. Tu recevras des lettres d'amour de femmes de tous les âges.

– Sam vient ce soir », dit-il.

Elle eut l'air surprise.

Il fouilla dans sa veste. « Ce revolver est à lui. Mon père a mis sa tête à prix après la mort de *ma mère*. C'est à ce moment-là qu'il l'a acheté. Un Beretta neuf millimètres. »

Elle fixa l'arme en acier bleu.

« Cela va être un meurtre-suicide, expliqua-t-il. Il t'a harcelée au téléphone. Rien de très important, tu n'en as parlé à personne, sauf à moi. » La main qui tenait le revolver était posée sur sa cuisse. « Il a mal interprété certaines choses que tu lui a dites dans le parc il y a quelque temps. Il voulait te convaincre de cesser de me voir – tu sais à quel point les hommes âgés peuvent devenir jaloux. Ils trouveront une lettre à côté de sa machine à écrire. Je l'ai tapée hier soir quand tu prenais ton bain. » Il sourit. « Cela m'a pris à peine vingt-cinq minutes.

– Pourquoi vient-il ?

– Une fête surprise. C'est ton anniversaire. »

Il jeta un coup d'œil à sa montre, caressant le canon du revolver. « Ce qui est drôle, c'est que je veux sa peau depuis le début. C'est pourquoi je l'ai fait venir dans l'immeuble, pour le surveiller et trouver un moyen sûr de le tuer. Thea – *ma mère* – partait le rejoindre pour vivre avec lui, quand... Ils s'étaient disputés avant la réception, elle et mon père. Elle n'est pas tombée dans l'escalier, il l'a poussée, je l'ai vu. » Il reprit son souffle. « C'était autant la faute de Sam que la sienne. Mais ensuite j'ai... dû régler le problème avec Billy Webber. Et Brendan Connaway est mort juste après. Alors Sam a signé un nouveau bail pour sa vie. Pour son appartement aussi. » Il sourit. « Il s'est révélé très intéressant, avec ses leçons de comédie, les vraies et les autres. Je ne te dirai pas la proportion. » Il leva son arme, baissa le cran de sûreté et la visa, le doigt sur la détente. « Il y a un couteau sous le coussin ? » demanda-t-il.

Elle le regarda en silence.

« Très fort. Je ne t'ai pas vue l'y cacher. Prends-le maintenant. Avec deux doigts, comme ça tu ne pourras pas me le lancer. Pose-le sur la table. Tout de suite. »

Elle glissa la main sous le coussin et – tenant le manche noir entre le pouce et l'index – sortit un coutelas d'une vingtaine de centimètres, avec une pointe acérée. Elle le mit devant elle.

Elle se rassit, très droite, les bras croisés. Il braquait son arme sur elle.

« C'est toi ou moi, Kay », dit-il. Il jeta un coup d'œil à sa montre.

« A quelle heure est prévue la soirée ?

– 21 heures.

– Et s'il ne vient pas ?

– Il viendra. Il a annulé une répétition de quatuor à cordes. Quand je suis parti il repassait son pantalon.

– Pourquoi as-tu été obligé de " régler " le problème de Billy Webber ? demanda-t-elle.

– Il a découvert que le téléphone était sur écoute. Il me faisait chanter.

– Comment s'en est-il aperçu ? » Elle décroisa les bras.

Il sourit. « Il vendait de la drogue, il était obsédé par

les questions de sécurité. Un soir il a rapporté chez lui un détecteur high-tech et obtenu un signal positif. J'ai failli passer à travers le plancher. C'était quelques semaines seulement après l'arrivée des locataires et j'étais encore nerveux et excité.

— Qu'est-ce que tu as fait ?

— Je me suis rué chez lui. Au 6A. Je lui ai dit que j'étais le propriétaire et que j'avais entendu le signal du détecteur. J'ai expliqué que j'écoutais pour me faire des sensations. Nous avons conclu un marché. » Il tenait son arme baissée entre ses genoux. « Je lui ai donné 2 000 dollars la première fois. Je n'ai rien dit à propos de la drogue et il ne m'a pas dénoncé. Et puis il a réclamé plus d'argent, encore et *encore*. C'est ainsi qu'agissent les maîtres chanteurs. Je suis allé un jour chez lui et j'ai interverti les paquets. C'était simple comme bonjour... » Il soupira, jeta un coup d'œil à sa montre, et lui sourit. « Rafael, le gardien, m'a mis dans une curieuse situation. Un vrai sitcom. *L'Étrange couple*. Il s'est demandé ce qui se passait dans le 13B et a forcé la serrure un jour où j'étais sorti. Il ne savait pas que j'étais impliqué, il craignait seulement d'être pris sur le fait. Quand je suis revenu, il était devant la console.

— Un autre chantage ?

— Un peu. 200 dollars par semaine. Le problème était qu'il voulait tout le temps regarder, comme toi. Il y passait quatre ou cinq heures par jour, et au moins deux nuits par semaine, il faisait tout marcher lui-même et négligeait ses fonctions. Alors il a voulu amener sa femme. Les gosses seraient venus ensuite... » Il soupira avec un haussement d'épaules. « Mme Ortiz a obtenu une énorme somme d'argent.

— Je sais, dit-elle, les mains sur les genoux.

— Pourquoi, tu as vérifié ? »

Elle acquiesça.

« Bien entendu, observa-t-il.

– Naomi s'y est mise elle aussi ? »

Il secoua la tête. « Elle ne voulait pas que j'y touche. La vraie jeune femme de gauche, avec des réflexes conditionnés, pratiquement en larmes à cause de la violation des droits civiques. Je ne le lui ai pas dit, elle l'a trouvé toute seule. Channel Thirteen avait tourné un *Nova* sur la surveillance électronique, et j'ai fait des erreurs idiotes » – il regarda sa montre –* « des petits détails : par exemple je savais où elle rangeait les sets de table. Oui, nous avons eu une aventure, mais cela n'a duré qu'une semaine. Elle faisait des histoires » – il eut un sourire – « à cause de la différence d'âge – sept ans. J'avais vingt-quatre ans, elle trente et un.

– Elle allait te dénoncer ? »

Il hocha la tête.

« Tu l'as obligée à écrire la lettre...

– Non, *je* l'ai écrite..., expliqua-t-il avec un sourire. J'ai fait un collage de lignes découpées dans un de ses carnets, puis je l'ai photocopié avec une bonne machine. Ensuite je l'ai transcrit une cinquantaine de fois, jusqu'au moment où j'ai réussi à l'écrire naturellement. J'avais tout mon temps, j'ai donné 100 000 dollars à Greenpeace et elle m'a accordé un mois pour me débarrasser des moniteurs. » Il jeta un coup d'œil à sa montre.

« Je suppose qu'au début tu... » Il se leva, pointant son arme sur elle. « Allons dans la chambre maintenant, dit-il. Si tu cries cela ne servira à rien, Vida est sortie et Phil aussi. » Il avança sur le tapis. « Et les Ostrow ont vraiment une réception. C'est pourquoi j'ai choisi une heure aussi tardive.

– Je t'en prie, chéri », supplia-t-elle.

Il se pencha en avant. « Il n'y a pas d'autre *moyen*, dit-il. Crois-moi, j'y ai réfléchi *toute la nuit*. Tu es comme Rocky. Sheer. Même si tu *jurais* d'accepter de l'argent en échange de ton silence je ne te croirais pas. Allons. Tout de suite. » Il se prépara à tirer.

Elle se retourna brusquement, s'empara du coutelas qu'elle lui jeta à la tête, et lui lança un coup de poing. Ils heurtèrent le bras du fauteuil qui tomba sur le côté, les entraînant dans sa chute. Felice s'enfuit en miaulant.

Ils roulèrent sur le sol. Couchée sur lui elle agrippa le poignet de la main qui tenait le revolver. Il parvint à la prendre à la gorge et à la repousser ; elle se cramponna à son bras quand il reprit le dessus. Il la lâcha et se releva en haletant ; à genoux sur le tapis, elle s'accrochait à la table en se frottant le cou.

« Je peux aussi te tuer ici, dit-il. Je m'adapte. » Lui jetant l'album de Magritte dans le bas-ventre, elle lui tordit le bras sur son épaule et le frappa avec sa hanche. Il hurla tandis qu'elle lui arrachait le revolver ; elle recula vers la fenêtre, accroupie, en braquant l'arme sur lui. Il se frictionnait l'épaule et le bras en la fixant de ses yeux bleus. Felice miaula, perchée sur le passe-plat.

Ils se surveillaient, tout essoufflés.

« J'ai appris à tirer sur un stand à Syracuse, dit-elle. Mets-toi devant le mur. »

Il lui obéit et fit un pas sur le côté. « Kay...

— Tais-toi, répondit-elle, le doigt sur la détente. Je ne veux plus entendre un seul mot. »

Il resta immobile. « Pas d'au revoir ? » demanda-t-il. Il se tourna et s'enfuit.

Elle le suivit mais ne tira pas... il traversa l'entrée et s'engouffra dans la chambre en claquant la porte.

Elle abaissa son arme et courut derrière lui.

Elle sentit un souffle froid sur ses chevilles.

Un flocon de neige glissa sur le parquet.

Elle ferma les yeux, respira.

Poussa la porte contre le vent et l'ouvrit toute grande.

Les rideaux se gonflaient et claquaient à la lueur de

la lampe, le panneau gauche de la fenêtre laissait pénétrer les bourrasques.

Elle avala sa salive.

S'appuya contre le chambranle sans lâcher le revolver.

Elle reprit son souffle.

Posa l'arme sur le lit, puis se frictionna les bras, les larmes aux yeux.

Elle s'essuya les paupières avec les poings, s'approcha de la fenêtre obscure. Elle écarta les rideaux et saisit le châssis bronze des deux mains. Elle se pencha dans le vent et regarda la rue toute blanche en bas. La tourmente diminua, les portes accordéon s'ouvrirent. Elle pivota tandis qu'il lui attrapait la taille et la poussait dans le vide.

13

Le tissu frôla sa main, elle réussit à s'y cramponner
et à se retourner, suspendue au panneau de chintz et
de mousseline, battant l'air de ses pieds. Son épaule
heurta le mur de brique, son tennis glissa sur la vitre. Il
la regardait du haut de la fenêtre. Les rideaux fré-
mirent, elle leva les yeux vers la tringle à l'intérieur de
la pièce.

Le crochet du bout céda, suivi de tous les autres,
tandis qu'elle parvenait à saisir le rail métallique; elle
hissa ses genoux contre les briques, poussant avec les
cuisses et les bras. Le vent frappait son dos, elle entendit claquer la porte de la chambre.

« Merde! cria-t-il, en secouant la tête avec une grimace. *Merde...* »

Elle le regardait, suspendue au rail extérieur.

« Je ne *peux pas*! hurla-t-il. Je dois penser à *moi*! » Il
s'éloigna de la fenêtre.

Fixant les briques sombres, mouillées, les genoux
écrasés contre une rainure de mortier, les doigts douloureux, elle glissa la main gauche vers le panneau de

la fenêtre, quelques centimètres plus loin. Si elle trouvait une prise là où la vitre s'engageait sur le rail, elle parviendrait à escalader le mur de brique... En oubliant qu'elle était suspendue dans le vide au vingtième étage d'un sliver, en pleine tempête de neige... Un filet de sueur glacée descendit le long de sa colonne vertébrale; elle frissonna. Elle tenait bon, poussant avec les genoux et les cuisses, les yeux résolument tournés vers le haut. C'était juste un exercice de musculation. Au Vertical Club...

« Cela marchera quand même... »

Elle le regarda.

Il était assis sur le rebord, plissant les yeux à cause des flocons de neige, les mains gantées de plastique, essuyant son arme. « C'est avec *lui* que tu t'es battue, dit-il, ensuite il t'a entraînée jusqu'ici, t'a jetée par la fenêtre et s'est tiré une balle dans le crâne. Il sera ici dans quatre minutes et je prie le ciel qu'il ne soit pas en retard. » Il fourra le revolver à l'intérieur de sa veste, fronça le sourcil. « Peut-être que je devrais *le pousser* lui aussi... »

Elle se cramponna derrière le panneau, tira sur ses bras douloureux; hissa son genou droit – il s'engourdissait, son jean était trempé – jusqu'à la rainure supérieure; puis elle remonta le genou gauche. Elle réussit à saisir le rail interne avec sa main droite.

Il se leva et attrapa l'oculaire du télescope, coinçant ses deux doigts du milieu sous l'objectif. « *Je ne t'oublierai jamais*, cria-t-il dans le vent. *J'ai les cassettes. Hier soir, et le jour où tu as emménagé... malheureusement celle-là est de mauvaise qualité... et ce samedi soir... il y a six semaines, minute pour minute...* » Il sourit, souleva ses doigts avec le télescope – doucement, pour ne pas laisser de marques. « *Nous avons essayé toute la gamme, n'est-ce pas? Dieu, j'aimerais tant que ça finisse autrement. Je te regarderai jusqu'à la fin de mes jours. File, Felice.* »

La chatte se promenait sur le rebord de la fenêtre.
« Fous le camp », dit-il.

Felice s'arrêta, le regarda – et se dirigea vers les doigts accrochés au rail du panneau extérieur. Elle les renifla.

Puis recula en crachant, toute hérissée.

Il se releva. « Va-t'en. Maman est occupée. »

Felice se pencha, flaira les doigts crispés. Elle fit encore un pas, sortit la tête, frémissant à cause du vent et de la neige. Elle considéra le visage levé vers elle.

Puis rebroussa chemin en crachant de nouveau.

« Du calme, dit-il. C'est moi, papa. »

Elle gronda, les yeux mi-clos, la queue très droite, prête à bondir.

« Fiche le camp, Felice. » Il la frappa avec le télescope. « Où est-ce que tu préfères... » Elle lui sauta à la figure, attrapa son nez avec ses dents, planta ses griffes dans ses paupières. Le télescope lui échappa quand il essaya de la repousser avec ses mains gantées qui glissaient. Il hurla dans sa fourrure et tomba à la renverse.

Pas une âme sur le palier du vingtième. Il contrôla sa montre tandis que la porte de l'ascenseur se refermait derrière lui : 21 heures précises, les aiguilles formaient un angle droit parfait.

Il se demanda ce que signifiait exactement la logistique compliquée de Pete Henderson. Il se regarda dans la glace – les yeux rouges, l'allure lamentable. Il arrangea le col de sa veste pour cacher l'usure.

Il s'approcha de la porte du 20B et écouta. Pas de bruit de voix. Il appuya sur la sonnette; un carillon retentit.

Il étudia la petite boîte enrubannée de Dollhouse Antics. Espérant que ce n'était pas trop recherché. Trop tard...

Un cri à l'intérieur?

Il essaya la poignée. Elle tournait.

Il entrouvrit la porte. Les lumières étaient allumées. « *Il y a quelqu'un?* » cria-t-il en direction du séjour.

Un gémissement rauque lui répondit.

Il s'avança, surpris par le désordre de la cuisine; il l'eût cru plus soigneuse. Le tableau saisissant d'un oiseau de proie – un aigle ou un faucon – était suspendu entre la cuisine et la salle de bains. La porte de la chambre était fermée.

« Il y a quelqu'un? » cria-t-il de nouveau. Il posa la boîte sur un portemanteau victorien, redressa l'étagère de marbre branlante, et recula d'un bond quand un couteau tomba à ses pieds – une lame d'une dizaine de centimètres, un manche noir.

Il le ramassa et le rangea à côté de l'étagère.

Il s'approcha de la chambre. Un vent glacé soufflait sous la porte. Il frappa. « *Kay? C'est Sam Yale. Est-ce que tout va bien?* »

Un gémissement.

Il ouvrit la porte avec difficulté. Un chat roux et blanc sortit et se précipita dans le séjour, la queue hérissée.

Il faillit s'évanouir en découvrant le spectacle à l'intérieur.

Un homme, le visage en sang, était assis par terre, appuyé au rebord du lit; il tendait vers lui ses mains rouges, ruisselantes. Pete Henderson. Avec d'énormes trous rouges à la place des yeux – comme un acteur grimé pour la dernière apparition d'Œdipe. Un pan de rideau déchiré flottait par la fenêtre ouverte où il découvrit horrifié la tête sombre *d'une femme qui essayait d'entrer*. Il courut vers elle, le cœur battant, et posa un genou à terre. L'attrapant par la ceinture il glissa un bras sous elle – glacée, frissonnante, vêtue d'un col roulé trempé – et la tira par-dessus le rebord. Elle roula sur le côté, les genoux en sang, le tissu de son jean en loques. « *Mon Dieu* », s'écria-t-il. Henderson poussa un gémissement.

Il l'aida à s'asseoir et à ramener ses jambes à l'intérieur, puis il referma entièrement la vitre. Déboutonna sa veste. « *J'appelle une ambulance dans une seconde*! hurla-t-il.

– Je ne suis pas sourd », répondit Henderson.

Elle haletait, les yeux fixés sur lui, les bras croisés, les mains sous les aisselles. Ses cheveux étaient emmêlés, ses lèvres violettes. Elle se tourna vers lui comme il posait sa veste sur ses épaules. « Felice? dit-elle. Ma chatte?

– Elle s'est enfuie dans le séjour », dit-il.

Elle essaya de se hisser debout. « Une douche », dit-elle.

Il l'aida à se relever. « Que s'est-il donc passé? » demanda-t-il. Il piétina le rideau avec elle, avançant avec difficulté. Henderson gémissait. Kay restait près des placards, regardant devant elle. Il la tenait par la taille et l'épaule.

« Il allait... nous tuer tous les deux, dit-elle.

– *Pourquoi*?

– Il a tué les autres. L'immeuble est truffé de caméras.

– *Quoi*? »

Elle retira sa veste à la porte. « C'est lui le propriétaire. Voici le téléphone. Attention, il a votre revolver. C'est le fils de Thea Marshall, dit-elle.

– *Je m'en doutais*! Des caméras? Je vous en prie, allez-y. »

Elle entra dans la salle de bains, alluma la lumière et s'enferma à clé.

Elle retira ses tennis, pénétra dans la douche, ouvrit le robinet Arts déco.

Elle se déshabilla sous l'eau, examinant ses genoux et ses mains à vif.

Augmenta la chaleur.

Elle replia les bras sur sa poitrine en sanglotant.

Quand ils sortirent de la voiture de police devant le gratte-ciel de la terreur, un peu après deux heures du matin selon la montre de Sam, des lampes halogènes sur des trépieds éclairaient l'auvent de chaque côté, des camionnettes étaient garées en double file, une voiture s'approcha en dérapant à l'angle de la 92ᵉ Rue. Des hommes s'approchèrent, une caméra noire perchée sur l'épaule; Sam les écarta en pointant l'index en l'air, Walt brandit une pelle à neige.

Ils pénétrèrent dans le hall, où une vingtaine de locataires s'agglutinaient autour des postes de radio et discutaient de poursuites collectives en justice.

« L'immeuble est vraiment *surveillé* ? » demanda Vida. « Oui », dit-elle. « Il a tué Rafael et *tout le monde* ? » demanda Dmitri. « Sauf Brendan Connahay », répondit-elle. « Ils ont pris des cassettes », dit Stefan. « Nous étions dessus ? » Elle hocha la tête. « Est-il aveugle ? » demanda quelqu'un.

« Oui, dit Sam. Chers amis », s'écria-t-il en levant les mains, le dos tourné aux ascenseurs, « au commissariat, nous avons parlé aux reporters; vous lirez tout cela dans les journaux de demain. Je ne veux pas être désagréable, mais nous avons passé une soirée difficile, surtout miss Norris. Peter Henderson est au Metropolitan Hospital sous bonne garde. Il ne regarde *plus rien*. Si vous avez des questions, adressez-vous à l'inspecteur Wright au poste de police du quartier. Il est très courtois et agréable. Merci. »

Ils prirent l'ascenseur de droite.

Elle fit du vrai café. Ils le burent sur le canapé, Felice blottie sur ses genoux.

« Elle va devenir la chatte la plus célèbre du pays. Elle sera sûrement présentée à Morris, le chat de Nine Lives [1].

– Ça leur fera le plus grand bien à tous les deux », dit-elle.

Il sourit en la regardant. But une gorgée et leva les yeux vers le plafonnier.

« Incroyable. La folie de la télé... J'imagine que c'était inévitable, quelqu'un devait l'attraper un jour ou l'autre.

– Ce n'est pas le premier cas, dit-elle. Un hôtel est équipé de caméras et de micros, et deux autres immeubles. Du moins c'est ce qu'il a dit. Écoutez, Sam. Je veux que vous le sachiez, jamais je ne *vous* ai regardé. C'était une condition dès le départ : ni vous, ni les salles de bains.

– Gentille attention, observa-t-il.

– Vous n'imaginez pas à quel point on est hypnotisé. On ne peut plus s'arrêter de regarder. Il se passe toujours quelque chose et même les détails les plus prosaïques deviennent intéressants, parce qu'ils sont réels et qu'on ne sait jamais ce qui va se passer ensuite. »

Ils burent leur café.

« J'y vais, dit-elle. Je veux me débarrasser de certaines cassettes qu'ils n'ont pas dû trouver, des cassettes de moi; sans doute celles qu'ils cherchent sont-

1. Spot publicitaire d'une marque de boîte pour chats (*N.d.T.*).

elles là aussi, bien qu'il les ait peut-être effacées. J'ai le sentiment que non, pas s'il a enregistré cette nuit.

— Je n'y suis plus.

— Ça ne fait rien. En tout cas je descends au 13B, voulez-vous m'accompagner ? »

Ils échangèrent un regard.

« Juste pour voir...

— Il n'y a pas de scellés sur la porte ?

— Oh ! une bande de scotch, j'imagine. J'ai la clé. Ne vous inquiétez pas, je vais dire exactement à l'inspecteur Wright ce que j'ai fait et pourquoi, même si je ne trouve pas les autres bandes. Je suis sûre qu'il comprendra. Sinon, c'est ma responsabilité. »

Il se gratta l'oreille. « Eh bien... J'imagine que je le devrais. Juste au cas où j'ai à diriger le téléfilm.

— Comment, " au cas où " ? répondit-elle en posant sa tasse. « Cela fera partie du contrat. » Elle prit Felice dans ses bras, se leva et remua le pied en gémissant : « Oooh ! mes genoux...

— Aaaah », répondit-il. Il se mit debout sans la quitter des yeux.

Elle reposa la chatte dans le creux du coussin et se baissa pour lui embrasser la tête. « Tu es une chatte formidable. Désormais tu auras des tranches de thon pour toi toute seule. »

Felice se coucha en rond sur le velours abricot ; elle ronronnait, les moustaches frissonnantes.

Ils se dirigèrent vers l'entrée. « Je parie que tous les gens de l'immeuble en parlent encore », dit-elle.

Il ouvrit la porte pour la laisser passer. « J'aimerais bien jeter un coup d'œil », dit-il.

Achevé d'imprimer en octobre 1993
sur les presses de l'Imprimerie Bussière
à Saint-Amand (Cher)

POCKET - 12, avenue d'Italie - 75627 Paris Cedex 13
Tél. : 44-16-05-00

— N° d'imp. 2320. —
Dépôt légal : août 1993.

Imprimé en France